Omslag & Binnenwerk: Buronazessen - concept & vormgeving

Drukwerk: Hooiberg Haasbeek, Meppel

Foto's omslag: Marcel de Kroon

www.hettyluiten.nl

ISBN 978-90-8660-181-3

Postbus 30227
6803 AE Arnhem
www.ellessy.nl

Hetty Luiten

Droomhuis TE KOOP

FAMILIEROMAN

HOOFDSTUK 1

'Moet je deze advertentie eens zien!' Enthousiast liet Jan-Jakob zich naast Milly op de bank vallen. Hij legde de krant op haar schoot en wees met zijn vinger aan wat hij bedoelde.
Milly schoof een stukje opzij, zodat ze hem minder aanraakte. Jan-Jakob voelde het wel en wist waarom ze zo reageerde, maar hij deed alsof hij het niet merkte. 'Dit lijkt precies ons droomhuis,' zei hij nog even enthousiast.
Met een zucht sloeg ze het boek dicht waarin ze geprobeerd had te lezen. Ze kon zich niet concentreren en er was nog geen woord van de inhoud tot haar doorgedrongen. Ze legde het op de salontafel en pakte de krant die haar man haar gegeven had. Haar ogen gleden over de advertentie. 'Ja,' zei ze mat, 'precies het huis dat we zoeken.' Ze gaf hem de krant terug en pakte de afstandsbediening van de televisie.
Jan-Jakob bekeek haar vanaf de zijkant. Hij zag haar mondhoeken hangen, haar huid leek vaal en haar ogen lieten duidelijk zien hoe somber, vermoeid en verdrietig ze was. 'Meisje,' zei hij en legde zijn hand op de hare. Milly trok echter direct haar hand terug, zodat zijn hand op haar knie kwam te liggen. Dat bleek ook niet de bedoeling en ze schoof iets verder van hem af.
'Ik doe je niks,' zei hij. 'En ik wil niks. Ik weet heel goed dat het beter is nog te wachten met vrijen en zelfs dan zou ik het niet willen of doen, als jij er niet aan toe bent. Maar ik mag je toch wel aanraken? Toe, kom eens bij me en kruip in mijn armen. Jij bent verdrietig, maar ik ook! Ik heb net zo goed steun en troost nodig. Kom.'

Milly keek hem somber aan en zuchtte opnieuw. 'Maar jij gaat gewoon door met leven. Jij zoekt gewoon naar een ander huis alsof er niets gebeurd is.'
Jan-Jakob schudde zijn hoofd. 'Dat is niet waar. Ik vind het zeker net zo erg als jij dat je een miskraam gehad hebt. Ik had me ook al ontzettend verheugd op een tweede kindje. Helaas mocht het niet zo zijn, maar je weet best dat we al drie jaar aan het zoeken zijn naar een huis. Moet ik dat zoeken zomaar staken vanwege de miskraam?'
Ze vertrok haar mond, maar zei niets.
'Milly, toe, kom bij me. Laat me je aanraken, voelen. Niet om te vrijen, maar om elkaars nabijheid te voelen. Ik wil jou voelen, zonder bijbedoelingen. Nee.' Hij lachte. 'Wel met een bijbedoeling, maar anders dan jij lijkt te denken. Ik wil je alleen maar voelen om jou te troosten en troost te krijgen van jou. Dat is de enige bijbedoeling. Geloof me nou.'
'Dat weet ik wel, maar ...' Ze haalde haar schouders op.
'Maar?'
'Ik weet het niet. Ik ben bang dat ik je teleurstel als ik je toesta me aan te raken en verder niets wil.'
'Dus je gelooft me niet,' stelde hij droevig vast. 'Het leven bestaat niet alleen uit seks. Dat heeft het voor mij nooit gedaan en dat weet je. Maar voor mij bestaat het leven wel uit aanraken, uit liefkozen, uit troosten. Laat me dat alsjeblieft doen. Je hoeft dit verlies niet in je eentje te dragen! En trouwens, het is óns verlies, Milly.'
'Maar jouw lichaam heeft het niet laten afweten,' zei ze bits.
'Hallo, waar ben je nú mee bezig? Milly, kijk me eens aan. Wat is

dat voor een vreemde opmerking?'
'Het is toch waar?' zei ze met haar ogen gericht op de televisie.
'Helemaal niet. Heb je niet naar de dokter geluisterd?'
Ze zette een andere zender op de televisie en zuchtte opnieuw. Deze keer leek de zucht uit haar tenen te komen.
'Milly, ik houd van je,' zei Jan-Jakob. 'Als het jou slecht gaat, gaat het mij ook slecht. En het is niet waar dat jouw lichaam het heeft laten afweten. Dat weet je best.'
'Maar zo voelt het!' wierp ze tegen. 'Het is mijn lichaam dat het kindje verloren heeft.'
'Dat is zo. Mannen kunnen nu eenmaal niet zwanger worden. Mannen kunnen bevruchten en je weet wat de dokter zei: de vrucht was niet levensvatbaar. Daarom kan het net zo goed aan mij liggen, omdat ik eventueel verkeerd, slecht zaad heb. Moet ik me daarover schuldig voelen?'
'Nee, natuurlijk niet. Als dat zo is, kun je daar niets aan doen.'
'Precies! Waarom geef je jezelf dan wel de schuld?'
'Ik ga koffiezetten.' Milly kwam overeind en liep de huiskamer uit.
Jan-Jakob keek haar hoofdschuddend na. Oké, het was amper een week geleden gebeurd en de dokter had gezegd dat het normaal was dat ze er een paar weken verdrietig over kon zijn. Daar had hij aan toegevoegd dat het beter was dat ze voorlopig niet vrijden, maar eerst wachtten tot ze weer een keer normaal gemenstrueerd had. Daar had hij allemaal heus geen moeite mee, als ze hem maar niet zo afwees, als ze hem maar toeliet in haar verdriet!
Nu was hij het die zuchtend overeind kwam. Hij ging achter de computer zitten en tikte het adres in van de makelaar die het

huis in de krant aanbood. Al snel had hij het huis in beeld. Op internet stonden allerlei foto's van het huis, zodat hij prachtig kon zien hoe ruim het was, hoe groot de kamers waren en vooral ook hoeveel tuin erbij zat. Hij merkte dat hij er opgewonden van werd en dat zijn hart sneller klopte. Dit was echt het huis dat ze al jaren zochten!

Zodra hij hoorde dat Milly de kamer weer in kwam, keek hij om. 'Je moet beslist komen kijken, joh. Het is werkelijk een schitterend huis. Helemaal precies zoals we altijd droomden.'

Ze zei niets, maar bracht wel de koffie naar de computertafel en trok een stoel bij. 'Oooo!' zei ze met duidelijke bewondering in haar stem. Ze trok de stoel nog dichterbij en Jan-Jakob zag dat haar ogen oplichtten. Hij juichte inwendig van vreugde. Even leek ze alle narigheid vergeten.

'Je hebt gelijk. Het is gewoon een plaatje. Zo groot. Drie verdiepingen en dan die balkons! Fantastisch. Zijn er nog meer foto's? Laat zien,' moedigde ze hem aan, terwijl ze zijn arm ongeduldig een por gaf.

Hij klikte met de muis op andere foto's en de ene na de andere mooie afbeelding kwam in beeld.

'Waar staat het?' vroeg ze haast ademloos.

'In Meederveld.'

'Waar ligt dat?' vroeg ze verwonderd.

'Dat heb ik al opgezocht. Niet ver hiervandaan. Zo'n tien kilometer.'

'Nooit van gehoord.' Ze lachte. 'Nu wonen we al ruim drie jaar in Delfzijl en ik ken de omgeving nog niet.'

'Het is vast een gehucht, maar het is dichter bij de Eemshaven dan

waar we nu wonen. Bovendien blijft Delfzijl vlakbij voor als we iets nodig hebben wat je daar niet kunt krijgen.'
'Zijn er wel winkels?'
'Geen idee. Ik zal eens verder zoeken,' zei Jan-Jakob opgelucht.
Milly bleef naast hem zitten en keek mee met wat hij deed. 'Kijk, er staat een schooltje, een lagere school. Dat is in elk geval iets. Als Fay volgend jaar vier wordt, kan ze daarnaartoe.'
Jan-Jakob knikte en was blij dat Milly zo enthousiast reageerde.
'Dan moeten er andere kinderen wonen. De school hoeft niet groot te zijn, drie klassen misschien, maar kinderen moeten er zijn.'
'Drie klassen ...' Milly glimlachte. 'De school die vlak bij ons huis in Den Haag stond, moest bijbouwen. Te veel kinderen voor die school.'
Milly en Jan-Jakob kwamen niet uit Delfzijl, maar waren geboren en opgegroeid in Den Haag. Echter al voor ze elkaar ontmoetten, hadden ze beiden bedacht dat ze daar niet wilden blijven wonen. Beiden hadden de droom een gezin te stichten en ergens op het platteland te gaan wonen. Ze wilden geen van tweeën dat hun kinderen op zouden groeien tussen de auto's en de uitlaatgassen. Liever tussen de koeien in de frisse lucht. Milly kende niemand die ook weg wilde uit Den Haag en op het platteland wilde gaan wonen. Tot ze Jan-Jakob ontmoette op een feestje bij een van haar collega's. Dat was ruim zes jaar geleden gebeurd. Het klikte meteen tussen hen en toen ze ontdekten dat ze allebei dezelfde droom hadden, waren ze niet meer bij elkaar weg te slaan.
Twee jaar later trouwden ze. Milly was al vrij snel daarna in verwachting, en juist in die mooie, maar tevens spannende tijd vond

Jan-Jakob een vacature als hoofdwerktuigkundige in de Eemshaven. Precies aan de andere kant van het land dus. Ze gingen samen kijken of ze in die omgeving wilden wonen. Het weidse uitzicht en de grote korenvelden bevielen hun direct en Jan-Jakob solliciteerde. Hij kreeg de baan, want in die regio waren veel grote bedrijven, maar te weinig werkzoekenden. Ook voor Milly was er dus werk. Zij werd data-entry-medewerkster, oftewel iemand die gegevens invoert in de computer. Het ging via een uitzendbureau en dat ze zwanger was, was geen enkel probleem. Het was tijdelijk werk, maar ze wisten zeker dat ze na haar bevalling ander werk voor haar zouden hebben.

Plotseling moesten ze verhuizen én de kinderkamer inrichten. Er zat op dat moment niets anders op dan het huurhuis aan te nemen dat de woningbouwvereniging van Delfzijl aanbood. Al zeiden ze direct tegen elkaar, dat ze daar niet zouden blijven wonen. Er was vanzelfsprekend niets op het huis tegen, maar het was hun droomhuis niet. Het was een rijtjeswoning met een kleine voortuin en best een redelijke achtertuin, maar ze wilden graag een vrijstaand huis hebben met veel grond eromheen. Voor de kinderen.

Hun familie was het niet eens met die beslissing. ‘Drie uur rijden,’ riep Milly’s moeder uit. ‘Zo’n eind wil ik niet in de auto zitten.’

‘Dan komen wij naar jullie,’ vond Milly. Natuurlijk was het een eind, maar ze wilde al zo lang weg uit Den Haag, dat ze er alles voor over had.

Fay werd geboren. De bevalling verliep prima. Hun ouders kwamen gezamenlijk naar hen toe, zodat de auto afwisselend be-

stuurd kon worden en ze de benzinekosten konden delen. Babs, Milly's moeder, was weg van de kleine Fay, maar ze bleef mopperen dat het zo'n eind rijden was. 'Op deze manier zie ik mijn kleinkind niet opgroeien,' klaagde ze.
'We sturen wel foto's en, mamma, je hebt e-mail. Misschien kunnen we via de webcam met elkaar praten!' Die webcam kwam er niet, omdat vooral Babs er tegen opzag om op die manier contact te onderhouden. Ze had een hekel aan computers en vond het al een hele belevenis om e-mails te versturen.
Nadat Milly en Jan-Jakob een beetje gewend waren aan de nieuwe woonplaats, de winkels, de omgeving, aan het nieuwe werk en vooral aan het ouderschap, begonnen ze om zich heen te kijken naar hét huis dat ze zochten.
Dat viel echter nog niet mee. Ze hadden inmiddels al tientallen huizen gezien, maar ze bleken allebei erg kieskeurig te zijn en aan elk huis mankeerde wel iets. Gelukkig waren ze het steeds roerend met elkaar eens, dus dat leverde geen problemen op. Ze hadden weliswaar gehoopt sneller weg te zijn, maar ze woonden niet onprettig, en daarom ook niet met tegenzin in de straat met rijtjeshuizen. De mensen waren, als je ze eenmaal kende en als ze jou eenmaal kenden, hartelijk en meelevend. Ze organiseerden geregeld een feestje voor de hele straat, waar Milly en Jan-Jakob ook altijd voor werden uitgenodigd. Er woonden trouwens meer mensen die van oorsprong niet uit het noorden van het land kwamen en Milly en Jan-Jakob voelden zich er prima thuis. Fay ging elke dag met Jan-Jakob mee naar zijn werk. Daar hadden ze een kinderopvang voor kinderen tot vier jaar. Een ideale oplossing.
Toen bleek dat Milly weer in verwachting was, waren ze dol-

gelukkig. Fay zou net vier zijn als het kindje geboren werd en eigenlijk vond Milly dat al wat aan de late kant, maar ze begreep tegelijk waarom ze niet eerder zwanger was geworden. Althans, zo had ze dat voor zichzelf beredeneerd. Al die drukte en spanning van de nieuwe omgeving, de baan, het moeder zijn, het had haar lichaam een beetje in de war gebracht. Maar nu was alles weer in orde.

Tot haar grote schrik en verdriet kreeg ze al heel snel een miskraam. Die klap leek op dat moment bijna onoverkomelijk. De dokter had nadrukkelijk gezegd dat ze gewoon pech had. Dat het niet aan haar lag of aan Jan-Jakob. Ze kon gerust weer zwanger worden en een gezond kindje baren. Maar de dokter kon praten wat hij wilde, Milly voelde zich afschuwelijk.

Alleen dacht ze daar nu helemaal niet aan. Met gulzige blikken verslond ze alles wat Jan-Jakob op het beeldscherm van de computer toverde. 'Kun je het niet met Google Earth bekijken?' vroeg ze gespannen.

'Goed idee.' Jan-Jakob tikte het adres in en even later hadden ze het gehucht in beeld, genomen vanuit de lucht.

'Het lijkt een soort lintdorp, zie je dat?' Milly tuurde naar de foto die ze in beeld had.

'Klopt,' zei Jan-Jakob. 'Eén lange straat met daar een kleine zijweg. Zie je? Dat moet de straat met het huis zijn.'

'Doodlopend?'

'Des te beter toch,' vond hij. 'Dan hebben vreemde auto's daar niets te zoeken. Rustiger kan het haast niet.'

'We gaan morgenmiddag kijken, hoor!'

'Ha, ik dacht dat je het nooit zou zeggen. Natuurlijk doen we dat!'

'Is het te betalen?' Milly had nog totaal niet naar de prijs gekeken.
'De huizen hier zijn zo veel goedkoper dan in Den Haag, dat moet ons lukken.'

De volgende dag was het zaterdag. 's Morgens deden ze boodschappen en wat huishoudelijk werk. Al was Milly altijd vrij op woensdag, er bleef genoeg huishoudelijk werk over voor in het weekend. Fay huppelde vrolijk met hen mee naar de supermarkt en thuis hielp ze bij het dweilen van de keukenvloer. Het driejarige meisje vond het altijd heerlijk als haar ouders samen thuis waren. Fay was een gemakkelijk kind en Milly en Jan-Jakob genoten volop van haar aanwezigheid.
'Kom, schatje,' zei Milly, 'we gaan weer in de auto.'
'Weer?'
'Ja, maar nu gaan we geen boodschappen doen. We gaan een stukje rijden.'
'IJsje, ijsje!' riep Fay juichend.
'Dat is een goed idee,' zei Jan-Jakob, die blij was dat Milly de hele ochtend al opgewekt was en duidelijk zin had om het huis te gaan bekijken. Hij had bewondering voor haar dat ze haar verdriet even opzij kon zetten voor hun droom. Maar die droom hadden ze dan ook al jaren. Hij sloeg vluchtig een arm om Milly's schouder en drukte een kus in haar korte, blonde haar. 'Spannend, hè?'
Ze knikte opgetogen.
Het viel hem op dat ze hem niet eens wegduwde, zoals ze de afgelopen week veel gedaan had. Maar hij hield zijn mond. Dit

gelukkige moment wilde hij beslist niet kapot maken, al wist hij dat ze er nog lang niet was. De afgelopen nacht had ze als een stijve plank aan haar kant van het bed gelegen met een duidelijke muur om zich heen die zei: raak me niet aan!
'Kom, dames,' zei hij monter en rammelde met de autosleutels.
'We moeten zeker twéé auto's hebben als we daar wonen,' bedacht Milly opeens.
'Dat denk ik wel, ja,' was Jan-Jakob het met haar eens. 'We hebben niet dezelfde werktijden en jij hebt op woensdag altijd vrij. Als er geen winkels zijn in Meederveld of stel dat je naar de dokter moet, dan heb je een eigen auto nodig.'
'De dokter ...' Haar gezicht betrok en Jan-Jakob kon zich wel voor de kop slaan dat hij juist die mogelijkheid geopperd had. Aan de andere kant was het inderdaad beter dat ze zich terdege realiseerde waar ze aan begon.
'Tja, het was zomaar een voorbeeld,' mompelde hij.
'Je hebt gelijk. We kunnen er niet op rekenen dat de buren een auto klaar hebben staan en ons willen brengen in noodgevallen.'
'Er zal toch wel een huisarts in Meederveld zijn,' zei Jan-Jakob.
'Dat kan, maar geen ziekenhuis.'
Jan-Jakob toetste de postcode van het huis dat te koop stond in in het navigatiesysteem en dat gaf aan hoe ze moesten rijden.
'Oké, daar gaan we. Kijken of onze droom eindelijk werkelijkheid wordt.'
'Het is al geweldig dat het een eind buiten Delfzijl staat,' zei Milly.
Hij kon horen dat haar stem iets van de glans kwijt was. En dat, omdat hij de dokter genoemd had. Suf, dacht hij, zo suf! Hij wilde

zijn hand op de hare leggen, maar durfde het niet. Stel dat ze haar hand weer wegtrok. Hij kon best tegen een stootje, maar het betekende dat al haar vreugde voorbij was en dat wilde hij eigenlijk niet voelen.
'Delfzijl is met zijn 25.000 inwoners natuurlijk ontzettend klein vergeleken bij Den Haag,' ging Milly gelukkig verder, 'maar het is me wel te druk.'
'Ik denk dat het huis zo afgelegen staat, dat je de auto's en de stadsgeluiden nog gaat missen.'
'Nooit!' riep ze vol overtuiging.
Hij keek even opzij en er verscheen een warme glans in zijn ogen. Ze was er weer. Haar verdriet was weggezet. Ze zag er vol verwachting uit.
'IJsje!' riep Fay vanaf de achterbank.
'Straks,' zei Milly. Ze draaide zich om. 'We gaan eerst een eindje rijden en kijken, daarna zoeken we een ijswinkel op.'
Met het navigatiesysteem was het geen enkel probleem het adres te vinden, maar ze vermoedden dat ze het zonder dat apparaat moeilijk gevonden zouden hebben. Nergens stond een bordje richting Meederveld, toch reden ze zomaar het gehucht binnen.
Milly ging op het puntje van de stoel zitten en keek nieuwsgierig alle kanten op. 'Hier woont geen kip,' zei ze verrast.
'Dan nemen wij die,' zei Jan-Jakob enthousiast.
'Ja, dat zou leuk zijn. O, hier is het schooltje. Inderdaad maar een paar klaslokalen.'
Jan-Jakob reed er stapvoets voorbij, zodat ze alles goed in zich op konden nemen. 'Het lijkt een behoorlijk lang gehucht te zijn. Eén rechte straat met aan weerszijden huizen. Niets achter die huizen,

alleen maar weilanden. Inderdaad een lintdorp,' constateerde hij. Toch zei het navigatiesysteem op een bepaald ogenblik dat ze rechtsaf moesten slaan.
'Doodlopend,' zei Milly.
'Dat zal de straat zijn die we zoeken.'
Ze zagen geen straatnaambordje, maar reden de straat in, die een paar honderd meter lang was. Links stonden tien, misschien elf huizen en rechts slechts drie. De huizen waren vrijstaand en allemaal redelijk groot, maar stonden wel tamelijk dicht op elkaar. Een enkel huis was een boerderij, of vroeger een boerderij geweest.
'Toch een vreemde bouw,' vond Milly, 'deze korte straat haaks op de hoofdstraat.'
Jan-Jakob knikte en probeerde de huisnummers te ontcijferen, maar een groot bord met de woorden *Te koop* wees hen waar ze moesten zijn. Er stond een busje naast het huis en er kwam iemand naar buiten met een grote stapel linnengoed.
'We zijn er.' Toch reed Jan-Jakob nog een stukje door. 'Hier kunnen we keren, verder gaat de straat niet.'
'Ik zie het nu al zitten,' zei Milly opgewonden. 'De rust van de straat en vooral de grote, oude huizen. Ik denk dat ze van voor de oorlog zijn.'
'Zou kunnen.' Jan-Jakob opende zijn portier. 'Even rondkijken?'
'Wat een vraag!' Milly sprong de auto uit, deed het achterportier open en hielp Fay uit haar stoeltje. 'Bij mamma blijven, hoor,' zei ze en pakte haar dochtertje bij de hand, terwijl ze ondertussen naar het huis keek. 'Ze zijn aan het verhuizen,' fluisterde Milly in Jan-Jakobs oor.

'Daar lijkt het op, ja.'
'Dan komt het al gauw leeg.'
Hij keek haar warm aan. Het deed hem goed haar glunderende gezicht te zien. Ze leek weer even helemaal de Milly met wie hij getrouwd was. Hij hoopte dat het blijvend was, al wist hij dat hij daar niet op moest rekenen.
'Hallo! Nieuwsgierig naar het huis?' De vrouw die het linnengoed naar het busje had gebracht, keek hen hartelijk aan. Ze was een jaar of zestig, had blozende wangen en gaf een prettige indruk.
Jan-Jakob stapte op haar af. 'Inderdaad. We hebben nog geen afspraak met de makelaar gemaakt, omdat we eerst de ligging wilden bekijken, maar die bevalt ons wel.'
'Het huis zal jullie beslist ook bevallen. Als je van stilte houdt.' De vrouw lachte.
'Waarom gaan jullie dan weg?' vroeg Milly.
'Dit is ons huis niet. Het is het ouderlijk huis van mijn man. Zijn ouders woonden hier tot voor kort, maar zij zijn allebei onlangs overleden. Dus stond het leeg. Mijn man heeft twee zussen en een broer, maar niemand was geïnteresseerd in het huis. Net zo min als onze kinderen. Dat is de reden waarom we het verkopen.'
'Maar ik heb hier met veel plezier gewoond,' voegde de zoon toe, die bij hen was komen staan. 'Ik had hier een heerlijke jeugd. Je kon hier ravotten en dieren houden. Maar nu wonen we in Delfzijl en dat bevalt me toch beter.' Hij stak zijn hand naar hen uit. 'Douwe,' stelde hij zich voor. 'Willen jullie het vanbinnen zien?'
'Nou, graag, als dat niet lastig is?'
'Nee, we zijn hier nu. Als je eerst een afspraak maakt, moeten we er speciaal voor komen. Niet dat Delfzijl ver is,' haastte hij zich

erbij te zeggen, 'als we hierheen moeten, zijn we er zo.'
'Is hier wel een dokter in de buurt?' vroeg Milly.
'Ik geloof het niet meer, nee, die zit in Delfzijl, maar hij is er zo, als het moet. Alles is best dichtbij, als je een auto hebt. Kom, dan laat ik jullie de woning zien.'
'Niet naar de rommel kijken,' zei de vrouw. 'We zijn bezig het leeg te halen.'
Binnen keken ze hun ogen uit. 'Het lijkt in werkelijkheid nog groter,' zei Milly.
'Omdat de kamer bijna leeg is,' zei Jan-Jakob. 'Maar ruim is het hier wel.'
'Die serre is ook geweldig. Staat de zon daar vaak?' vroeg Milly.
'Ja,' zei Douwe, 'die is op de zonkant gebouwd. Daarom zit hij aan de achterkant van de kamer. Je kunt er soms niet zijn, zo warm kan het er worden, maar als je tomaten wilt kweken, is het een prima plek.'
In de keuken slaakte Milly een diepe zucht. 'Precies wat ik altijd wilde. Zo'n grote keuken dat je in het midden een ronde tafel kunt zetten.'
'Dat hadden wij ook,' zei Douwe. 'Nu gaan we naar boven.'
Milly hield Fay stevig vast toen ze de trap op gingen. Het kleine meisje begreep niet wat er aan de hand was, maar ze huppelde vrolijk mee.
Boven waren drie ruime slaapkamers, een badkamer met douche, bad en tweede toilet en op de zolder waren twee kleinere kamers afgetimmerd.
'Je kunt hier heel wat kinderen onderbrengen,' zei de man opgewekt.

Milly's gezicht betrok. 'Dan moet je ze wel krijgen,' mokte ze.
Douwes vrouw, die meegelopen was, had door dat hij een verkeerde opmerking gemaakt had. 'Het begin is er, toch?' zei ze op een troostende manier en met een blik naar Fay.
Milly knikte en zweeg, maar ze keek somber voor zich uit..
'We kunnen hier in elk geval logees ontvangen,' probeerde Jan-Jakob haar weer wat op te monteren. 'Misschien dat je ouders nu een weekend willen komen.'
'Ja, dat zou leuk zijn, maar ik denk niet dat mijn moeder het hier naar de zin zal hebben. Dat is zo'n stadsmens. Zeg, wonen hier ook kinderen in de buurt?'
Douwe schudde zijn hoofd. 'In dit straatje niet. Hier wonen voornamelijk oudere mensen. En een jonge kunstenaar, maar die is alleen en heeft geen kinderen.'
'Toch hebben we een schooltje gezien.'
'Klopt. En dat is nog steeds in gebruik,' vertelde Douwe enthousiast. 'Daar ben ik al op geweest. Er komen kinderen uit de hele omgeving naartoe. Het is een streekschooltje. Dat was wel mijn leukste tijd hier. Kleine klasjes, daar hield ik van. Maar ze kwamen niet vaak bij me spelen, behalve als ze mochten blijven logeren. Voor een middagje vonden ze het te ver weg.'
Milly glunderde. 'Dat lijkt me wel wat. Vriendinnetjes van Fay die blijven slapen. Ik zie het al voor me.'
'Zo te zien hebben jullie zin in dit huis,' zei Douwe.
Milly en Jan-Jakob keken elkaar aan, maar ze hoefden niets te zeggen. Jan-Jakob pakte Milly's hand en sprak voor haar. 'Ja, ik denk dat we maar een bod gaan uitbrengen bij de makelaar.'
'Nergens voor nodig. Doe dat hier maar, dan verkopen wij het.'

'Maar je hebt een makelaa...' protesteerde zijn vrouw.
'Natuurlijk, en die moet ook betaald worden. Die heeft zijn werk goed gedaan. Ik neem tenminste aan dat jullie op zijn advertentie zijn afgekomen, anders had je dit nooit gevonden. We hoeven alleen niet moeilijk te doen. Als wij het eens kunnen worden, weet iedereen meteen waar-ie aan toe is.'
'Zo mag ik het horen,' vond Jan-Jakob. 'Maar geef me even een paar minuten met mijn vrouw alleen.'
'Ik wil eerst de tuin zien,' zei Milly.
'Sorry,' zei Douwe verontschuldigend. 'Ik ben veel te blij dat er kijkers zijn. De makelaar had gedacht dat het maanden kon duren, misschien zelfs jaren. Vandaar mijn enthousiasme. Kom mee.'
Ze liepen de trappen af, kwamen door de keuken, stapten naar buiten en stonden daar ademloos stil.
'Nou?' vroeg Douwe nieuwsgierig.
'Wat ruim!' riep Milly uit. 'Veel groter dan ik dacht.'
'Kom, achterin staan een schommel en een zandbak. Ik weet niet of dat zand nog te gebruiken is, maar de schommel is zeker stevig genoeg.'
Even later gierde Fay het uit van plezier. Ze hield zich stevig met beide handjes vast, terwijl Jan-Jakob haar steeds een duwtje in de rug gaf.
'Wat is dat?' vroeg Milly, wijzend op een houten geval.
'Konijnenhok. Achter dat schuurtje staat een kippenhok. Die dingen wilden we eigenlijk niet afbreken, tenzij jullie erop staan.'
Milly liep ernaartoe. Ze had geen verstand van bouwwerken, maar de hokken zagen er volgens haar goed bruikbaar uit. En al had Jan-Jakob net voor de grap gezegd dat ze kippen konden

nemen, het was wel degelijk een wens van haar.
Ze zag het hier helemaal zitten. Dit was werkelijk haar droomhuis. Zo had ze het zich altijd voorgesteld. Ergens volkomen buitenaf met veel ruimte eromheen voor onder andere een groentetuin. Ze liep langs het kippenhok, zag nog een soort van schuurtje en bleef stilstaan voor het prikkeldraad. Tot zo ver reikte de tuin en van waar ze nu stond, had ze zicht op eindeloze velden. In de verte zag ze koeien lopen. Ze zuchtte van genot. Ja, dit huis moesten ze kopen.
'Dit is een pruimenboom,' vertelde Douwe die haar gevolgd was. 'Ze zijn al bijna rijp, zie je. Ze zijn heerlijk om zo te eten, maar ook erg lekker als jam. Dat was mijn moeders hobby. Jam maken.' Even gleed er een weemoedige blik over zijn gezicht. 'Mijn vader heeft dit huis zelf gebouwd. Ze woonden aan de lange straat van Meederveld. Daar zijn ze allebei geboren en getogen. Onze opa had hier een stukje grond. Daar mocht niet op gebouwd worden, tot die mensen die vroeger op nummer 1 woonden, wel toestemming kregen om te bouwen. Toen was het hek van de dam en wilde iedereen hier bouwen. Opa vroeg ook toestemming en hij gaf de grond aan mijn vader, die trouwplannen had. En zo ontstond dit huis. De kavels zijn hier een stuk groter dan aan de hoofdstraat en binnen de kortste keren stonden hier een stuk of vijftien huizen. De gemeente schrok ervan en gaf een bouwverbod af. Dus er zullen waarschijnlijk nooit huizen bij komen. Het is een vreemd straatje, zo midden door de weilanden, maar het is een fantastische plek.'
'Dat vind ik ook,' zei Milly. 'Wanneer zijn de huizen gebouwd?'
'Eens zien, mijn vader is vijfentachtig geworden en hij was begin

twintig toen hij trouwde. De huizen zullen een jaar of vijfenzestig zijn, dus van 1945 ongeveer. Ja, natuurlijk, van vlak na de oorlog.' Douwe grijnsde. 'Hoe kon ik dat vergeten. Mijn vader heeft zo vaak verteld hoe moeilijk het in die tijd was om aan alle bouwmaterialen te komen.'

'Maar het is mooi geworden,' zei Milly. 'Ik hou van oude huizen, die hebben altijd veel meer sfeer dan nieuwe.'

Douwe draaide zich om en wilde teruglopen, maar blijkbaar schoot hem iets te binnen. 'Je moet oppassen voor dit prikkeldraad. Nu staan de koeien in de verte, maar als daar het gras op is, heb je kans dat ze hier komen grazen. De boer wisselt dat telkens af. Als ze hier vlakbij lopen, staat er stroom op het prikkeldraad om te voorkomen dat ze de wei uit lopen. Als je het aanraakt, krijg je een schok.'

Milly keek hem geschrokken aan. 'Kan Fay hier dan wel veilig spelen?'

'Ik herinner me dat wij daar vroeger een afscheiding hadden met een hekje dat op slot zat. We konden op die manier de kippen niet plagen en niet bij het schrikdraad komen. Achter de zandbak, zeg maar. Zo kan je dochter veilig buiten spelen.'

'Jaja, ik snap het. Dat moeten wij ook maar doen, want schrikdraad in de tuin vind ik doodeng.'

'Het valt mee, hoor,' zei Douwe monter. 'Ik heb het weleens beetgepakt en er niets aan overgehouden. Maar je praat alsof het huis al van jullie is.'

Milly lachte. 'Oké, laat ons even alleen.'

Douwe trok zich bescheiden terug, terwijl Jan-Jakob en Milly in de tuin waren en Fay nog heen en weer schommelde.

'En?' vroeg Jan-Jakob. 'Moeten we nog iets bespreken?'
'Wat mij betreft niet.'
'Oké. Laten we onderhandelen. Eens zien of we wat van de prijs af krijgen.'
Haar ogen glunderden en Jan-Jakob moest gewoon een warme zoen op haar mond drukken. 'Eindelijk,' zei hij uitgelaten. 'Eindelijk ons droomhuis gevonden.'

HOOFDSTUK 2

'Ik kan er niet mee uit de voeten, mam,' verzuchtte Milly met tranen in de ogen. 'Ik voel me zo ellendig.'
'Dat hoeft helemaal niet,' reageerde Babs vrij nuchter. 'Je hebt pech gehad. Heel jammer voor je, maar de volgende keer meer geluk, denk ik maar zo.'
'Ja, dat klinkt zo gemakkelijk. Alsof ik volgende week weer in verwachting zou zijn.'
'Dat kan toch?'
'Nee,' riep Milly uit. 'In de eerste plaats heeft de dokter gezegd dat het beter was als ik eerst een keer ongesteld zou worden. In de tweede plaats heb ik totaal geen zin in vrijen en in de derde plaats ben ik als de dood dat ik dan weer een miskraam krijg.'
'Dat is nergens voor nodig,' vond haar moeder. 'Je moest eens weten hoeveel vrouwen er een miskraam krijgen en daarna een gezond kind. Met Fay ging het immers goed? Meid, kop op, hoor. Er zijn ergere dingen. Neem opa nou.'
Maar Milly was niet in staat om zich op iemand anders te concentreren. Het was haar vrije woensdag. Fay speelde op de vloer met haar poppen en zelf had ze grootse plannen gehad vanwege de verhuizing. Ze wilde vast gaan opruimen en sorteren. Dingen weggooien en dingen inpakken. Maar ze merkte al snel dat ze de moed niet had en ze belde haar moeder op. 'Weet je wat de buurvrouw zei?' ging Milly verder. 'Die zag ik net in de supermarkt. Die zei dat ik me niet aan moest stellen. Wat stelde het nou amper voor, drie weken over tijd. Dat was nog niets. Daar mocht ik niet om treuren. Mamma, dat is toch niet normaal om er zo over te praten?'

'Had je het haar verteld dan?'
'Nee, eerst niet, maar ze zag dat ik niet vrolijk was. Ze vroeg wat er was en ik dacht dat ik het wel vertellen kon, maar daar heb ik nu spijt van. Ik kon wel janken na haar opmerking. Van je buurvrouw moet je het hebben, hoor. Bah!'
'Maar eigenlijk is het zo,' vond Babs.
'Mamma! Hoe kun je het zeggen. Weet je nog hoe blij ik was, toen ik van Fay in verwachting was? Zo blij was ik nu weer. Het is een kindje in de groei, mamma. Dat is wél bijzonder. Heel speciaal. Hoe durft buurvrouw zoiets te zeggen!'
'Milly, ik denk echt dat je het verkeerd ziet. Misschien moet je nog eens met de dokter praten. Kitty vertelde dat het er bij een miskraam in veel gevallen om gaat dat er zich geen embryo ontwikkeld heeft en dus ook geen kindje. Daarom ben je het kwijtgeraakt. Het was geen kindje in de groei. Het was niets. Alleen een vruchtzak. Natuurlijk was je blij, want je wist niet dat het mis zou gaan en je dacht dat er een kindje in je buik groeide, maar dat was niet zo. Over een paar weken probeer je het gewoon weer.'
Milly zuchtte en veegde haar ene wang droog.
'Bel je zus anders zelf eens op. Zij is verpleegster en heeft verstand van dit soort dingen,' zei haar moeder. 'Hoever staat het met het huis?'
'De koop is rond. We kunnen de hypotheek krijgen en we hebben een aanbetaling gedaan. Over twee weken tekenen we de koopakte en die dag kunnen we er ook in.'
'Wat snel allemaal,' vond moeder.
'Ja, maar ik heb er veel zin in.'
'Zo klink je niet, Milly.'

Ze zweeg een poosje, keek naar Fay die lief aan het spelen was. Ze bofte geweldig dat ze zo'n lief kind gekregen had.
'Mag ik nu iets over opa vertellen?' vroeg moeder.
'Ja.'
'Het bejaardentehuis wil hem niet langer hebben. Ze vinden dat hij te veel verzorging nodig heeft sinds hij dat herseninfarct gehad heeft. Daar hebben ze geen tijd voor. Ik kan het niet met ze eens zijn. Ik ga elke dag naar hem toe en hij is niemand tot last, maar ze houden hun poot stijf. Opa moet er weg.'
'Och, mamma, dat is niet leuk. En wat nu?' Milly kon opeens haar eigen verdriet vergeten, want ze begreep dat dit moeilijk was voor haar moeder. Ze schaamde zich zelfs een moment dat ze alleen met haar eigen problemen bezig was geweest.
'Ze kwamen met drie voorstellen. Drie verzorgingstehuizen in Den Haag waar een leeg bed is. Ik heb ze alle drie gebeld, maar de eerste viel meteen af, omdat er géén plaats was. Blijkbaar een vergissing. De tweede viel ook af voor mij, want daar zitten ze met zijn zessen op een kamer. Dat kan ik opa niet aandoen, zeg. Daar heeft hij geen enkele privacy meer. Dat zou ik vreselijk voor hem vinden. Er kan zelfs geen eigen stoel mee. Bij de derde idem dito, maar met vier mensen op een kamer.' Babs zuchtte diep. 'Soms beangstigt het me enorm om oud te worden. Er blijft geen greintje menselijkheid meer over.'
'Je hebt gelijk. Dit is verschrikkelijk. Als je helemaal niets mee mag nemen van je eigen spullen. Wie ben je dan nog? Wat blijft er over van je leven?'
'Fijn, dat je me begrijpt,' vond Babs.
'Maar wat nu? Moet opa echt weg?'

'Ja. Dus heb ik eigenhandig verder gezocht. In de telefoongids vond ik een flink aantal verzorgingstehuizen en verpleeghuizen in de omgeving. Rijswijk, Zoetermeer, Schoonhoven. Ik denk dat het voor opa weinig uitmaakt waar hij zit. Hij kan toch niet meer in zijn eentje naar buiten en het moet al heel toevallig zijn dat er hier in Den Haag mensen zitten in zo'n tehuis die hij nog kent van vroeger. Daarvoor wonen er hier te veel mensen. Maar dat leverde het volgende probleem op: die tehuizen hebben wél privékamers voor de mensen, maar ze hebben allemaal een wachtlijst van minstens een jaar!'
'Een jaar?' riep Milly uit. 'Is dat niet belachelijk? Waar moet hij dan al die tijd blijven?'
'Precies. Het is vreemd gesteld met onze bejaardenzorg in Nederland. Ik ga vanmiddag met het bejaardentehuis praten. Ik ga ze vertellen dat ik opa wel op wil geven voor een verzorgingstehuis, maar alleen bij een tehuis waar hij een eigen kamer krijgt Tot die tijd zal hij gewoon in het bejaardentehuis moeten blijven.'
'Goed, zo, mamma. Je hebt gelijk. Zes op een kamer! Niet te geloven! Hoe oud is opa eigenlijk?'
'Eenentachtig, toch. Hij heeft vorig jaar zijn tachtigste verjaardag gevierd, maar leeftijd heeft er niets mee te maken. Het gaat om mijn vader!'
Na het gesprek bleef Milly nog even voor zich uit zitten kijken. Zij rouwde om een kindje dat nooit een kindje geweest was en haar moeder vocht voor een menselijk einde van het leven van haar vader. De wereld zat maar vreemd in elkaar en leven en dood mochten dan twee verschillende dingen zijn, ze waren zeer nauw met elkaar verbonden.

‘s Avonds na het werk vond Jan-Jakob haar op de rommelkamer.
‘Ha, ben je hier? Ik zag je nergens. Ben je al aan het inpakken?’
‘Pappa, pappa,’ riep Fay en stormde op hem af. Hij tilde haar vrolijk op, maar keek ondertussen bezorgd naar Milly.
‘Dat was wel de bedoeling, maar er is niet veel van terechtgekomen.’ Ze keek hem met betraande ogen aan en liet hem het kleine hemdje zien dat ze vasthield. ‘Van Fay toen ze net geboren was.’
Jan-Jakob liet zich direct door de knieën zakken en ging naast haar op de vloer zitten. Fay kroop bij hem op schoot. ‘Milly, waar ben je mee bezig? Ga je jezelf de put in praten?’
‘Dat wilde ik niet, maar bij het zien van al die babyspulletjes van Fay ... Jan-Jakob, waarom? Waarom ging het mis?’
Hij sloeg zijn armen om haar heen en trok haar tegen zich aan. Tot zijn grote verrassing liet ze dat toe. Hij streelde haar over het haar en zuchtte zachtjes. ‘Waarom niet, Milly. Dat kun je ook zeggen. Waarom moet het een ander overkomen? Waarom ons niet?’
‘Hm.’
‘Als je in onze families kijkt, zie je dat we alleen maar gezonde familieleden hebben. Onze ouders leven nog en niemand is met een handicap geboren. Tja, of iemand een miskraam gehad heeft, weet ik niet, maar wat gezondheid betreft gaat het onze families voor de wind. Het lijkt me logisch dat er eindelijk een keer iets misgaat. In andere gezinnen worden kinderen met een handicap geboren of overlijden mensen op heel jonge leeftijd. Dan zeggen wij ook niet: waarom wij niet? Nee, dat accepteren we. Daarom moeten we dit net zo goed accepteren, Milly.’
‘Dat weet ik wel, maar ik voel me toch rot.’

'Logisch. Je had je erop verheugd. Wij hadden ons erop verheugd. En zelfs als je geen miskraam gekregen had, had het kindje doodgeboren kunnen worden of zwaar gehandicapt. Dat kan allemaal. Ik vind dat je niet moet vragen: waarom? Maar: waarom niet?'
Hij nam haar gezicht tussen zijn handen en tilde het op zodat ze hem aan moest kijken. 'Ik houd van je.' Hij drukte een kus op haar neus. 'Samen kunnen we dit wel aan. We hebben Fay toch al. Het liefste meisje van de wereld.'
'Zeg dat wel,' zei Milly en maakte zich van hem los om haar neus te snuiten en haar ogen droog te wrijven. 'Ik heb niet veel met haar gespeeld vandaag, maar ze was zo lief!'
Hij kwam overeind en trok haar met zich mee. 'Gaan we eten?'
'Eten? O, wat stom. Ik heb nog niets klaargemaakt.'
'Geeft niets, joh. Zal ik snel naar de chinees rijden?'
'Dat is een goed idee, want hier kan dat, maar kan dat ook in Meederveld?'
'Goeie vraag. In elk geval gaan we het nu maar uitbuiten. Wil je babi pangang?'
'Graag. Met gebakken banaantjes als toetje. Die vindt Fay zo lekker.'
'Oké. Dek jij de tafel?'
'Doe ik.' Ze glimlachte hem voorzichtig toe. 'Ik kom er wel, hoor. Ik moet aan het idee wennen dat we voorlopig geen tweede kindje krijgen.'
'Dat begrijp ik en dat lijkt me logisch.'
'En ik ben ontzettend blij met het huis. Daar kijk ik erg naar uit.'
'Anders ik wel,' zei hij stralend. Hij tilde Fay op en nam haar mee de trap af. In de keuken zette hij haar neer en wachtte tot Milly

er ook was. 'Stel je eens voor. Een ronde tafel in de keuken waar we omheen kunnen lopen.'

'Ik zie het al helermaal voor me,' zei Milly. Haar ogen kregen weer glans.

'Zullen we straks eens zoeken op marktplaats.nl? Want als we een nieuwe bestellen in de winkel, duurt het zeker tien weken voor we hem krijgen en een splinternieuwe tafel is niet nodig, toch?'

'Nee. Fay is een schat van een kind, maar als ze tekent, zit alles eronder. Dus laten we dat maar doen, ja.'

Het werden twee drukke weken, waarin de miskraam steeds meer naar de achtergrond schoof. Milly had zo lang van een dergelijk huis gedroomd, dat ze nu haast alleen nog maar aan de verhuizing en de inrichting van het huis kon denken. Ze hadden wat nieuwe meubels nodig, omdat het huis veel groter was en ze een gezellige logeerkamer in wilden richten. Ook al leken Milly's ouders niet veel zin te hebben om te komen slapen, de ouders van Jan-Jakob waren duidelijk wel geïnteresseerd. 'Diep van binnen heb ik altijd boer willen worden,' gaf zijn vader opgetogen toe, toen Jan-Jakob hem vertelde van hun aankoop.

Fay zou een veel grotere kamer krijgen en 's avonds struinden Jan-Jakob en Milly alle internetpagina's af voor leuke kindertafeltjes en stoeltjes. Of voor een stapelbed voor op zolder. Want de kinderen van Milly's zus wilden alleen maar komen als er een stapelbed was. Niet dat ze zich liet chanteren, maar het leek Milly zelf ook leuk om zo'n bed te hebben. Bovendien leek het haar heerlijk als Kitty kwam logeren. Dat was de afgelopen drie

jaar niet gebeurd. Dit huis in Delfzijl was immers niet groot, en Kitty had drie kinderen. Daar hadden ze hier geen plaats voor.
Er hoefde niet veel behangen te worden. Alleen de huiskamer misschien. De rest was in prima staat en kon altijd nog een beurt krijgen.
Ze verheugden zich beiden op de aanschaf van kippen en omdat er een konijnenhok stond, wilden ze ook een konijn nemen. Ze besloten geen hond te nemen, al was vooral Jan-Jakob gek op honden, maar een hond zou hen meer aan huis binden dan kippen. Hij kon niet mee naar Den Haag, als ze daar nog eens een weekend wilden logeren. Niet iedereen zat namelijk te wachten op bezoek met een hond.
De laatste nacht in hun huis in Delfzijl brak aan. Jan-Jakob kwam de badkamer uit en zag dat het bedlampje van Milly uit was. Zo was dat elke avond geweest sinds de miskraam, maar vanavond deed het hem voor het eerst zeer. Hij bleef even naar haar staan kijken. Ze lag stijf op het uiterste kantje van haar deel van het bed. Duidelijk afwijzend. Hij zuchtte en kroop aan zijn kant, maar liet zijn lampje branden. Hij draaide zich naar haar toe en legde zijn hand op haar schouder. 'Milly, dit is onze laatste nacht in dit huis. Alsjeblieft, kom tegen me aan liggen. Ik wil niet in mijn eentje afscheid nemen van dit huis.'
Ze hield haar ogen gesloten, maar aan haar gezicht kon hij zien dat ze hem gehoord had. Gelukkig draaide ze zich niet om, zodat zijn hand van haar af zou glijden. 'Milly,' drong hij aan. 'Ik heb je nodig! Ik heb je de afgelopen weken gemist!'
Ze deed haar ogen open en hij schrok van het verdriet daarin.
'We wilden een ruim huis omdat we veel kinderen wilden,' zei

ze. 'Ik vind het eigenlijk gemeen dat we net nu dat huis gevonden hebben.'
'Alles heeft een doel. Milly, al zullen we het doel misschien niet te weten komen. Weet je nog hoe zwaar je het vond te verhuizen tijdens de zwangerschap van Fay? Je vond het een moment zelfs moeilijk om je te verheugen op de zwangerschap. Als je geen miskraam gehad had, zat je nu in exact dezelfde situatie.'
'Hm.'
'Milly, trek je toch niet zo terug in jezelf. Laat me je troosten en help mij! Ik heb je nodig.'
'Maar ik wil niet vrijen.'
Jan-Jakob zuchtte. 'Hoe duidelijk moet ik zijn? Ik wil je alleen maar vasthouden en met jou in mijn armen in slaap vallen. Meer niet. Eerlijk niet. Hebben we ooit gevrijd tegen jou zin in? En denk je dat vrijen het enige is dat belangrijk is in onze relatie?'
Eindelijk keek ze hem aan. 'Ik wil je niet teleurstellen. Als je me kust en aanraakt, wil je vrijen.'
'Misschien, ja. Dat lijkt me trouwens ook logisch. Maar dat is een lichamelijke reactie. Mijn verstand zegt, dat we het niet moeten doen en mijn verstand is toevallig de baas, Milly. Maar als je zo koud doet en zo afstandelijk, doet dat nog meer pijn dan wanneer ik eventueel zou willen vrijen, maar jij niet. Ik mis je ontzettend en morgen beginnen we aan een nieuwe toekomst in ons droomhuis. Dat wil ik sámen met je doen! Niet alleen vrolijk zijn bij het inrichten, maar ook laten merken dat ik van je houd. En jij van mij, hoop ik.'
'Natuurlijk hou ik van je. Dat slaat nergens op, dat je daaraan zou twijfelen.'

'Kom dan bij me. Laten we samen in slaap vallen en zo afscheid nemen van deze kamer.'
Ze draaide zich om. Vervolgens schoof ze naar achteren, zodat haar rug tegen Jan-Jakobs buik aan kwam. Hij sloeg zijn armen om haar heen en drukte een kus in haar nek. 'Welterusten, liefste.'
'Ja, welterusten,' mompelde ze.

De volgende ochtend werden ze niet in elkaars armen wakker. Blijkbaar hadden ze elkaar 's nachts losgelaten. Toch merkte Jan-Jakob direct dat de sfeer tussen hen anders was. Milly keek hem warm aan, iets wat ze de laatste weken in bed niet meer gedaan had.
'Het is zover,' zei ze zacht.
'Ja, we gaan verhuizen.' Hij trok haar naar zich toe en kuste haar. Ze liet het gebeuren en hij voelde dat haar weerstand aan het afnemen was. 'Ik hoop dat we daar heel gelukkig worden, meisje.'
Ze glimlachte hem toe, maar maakte zich los uit zijn omarming. 'Om halfnegen staat de verhuiswagen voor de deur en om negen uur moeten we bij de notaris zijn.' Ze duwde hem het bed uit om het beddengoed eraf te halen en in een verhuisdoos met "slaapkamer" te stoppen.
'En om kwart over negen is het huis van ons,' zei Jan-Jakob stralend.
Ze hadden beiden drie weken vrij genomen in plaats van vakantie en hoefden dus niet naar het werk. Fay zou ook niet naar het dagverblijf gebracht worden. Zij mocht mee. Dat er iets stond te gebeuren, voelde het kleine meisje haarfijn aan, maar wat het was,

kon ze niet begrijpen.
'Ander huis?' vroeg ze verward.
Milly had de afgelopen weken al een paar keer geprobeerd het uit te leggen, maar ondanks dat begreep Fay het niet.
'Ze snapt het waarschijnlijk pas als we daar echt wonen en als haar spulletjes daar staan,' dacht Jan-Jakob.
'Auto!' riep Fay opeens enthousiast.
Inderdaad de verhuiswagen was er. Opgewonden dat het nu eindelijk ging gebeuren, snelde Milly naar de voordeur. 'Hallo, mannen. Wij moeten zo weg naar de notaris, maar er staat koffie in de thermoskan in de keuken en verder moet het hele huis leeg.'
'Als we niet terug zijn voordat jullie klaar zijn, doen jullie dan de deur op slot?' vroeg Jan-Jakob terwijl hij hun een sleutel toestak. 'Jullie hebben ons nieuwe adres?'
Precies om negen uur waren ze bij de notaris. Douwe was er ook. Hij had zijn broer meegenomen, die zich voorstelde als Harm.
De ondertekening leverde geen problemen op en terwijl ze hun koffie opdronken, stak Harm hun een bos sleutels toe. 'Alsjeblieft, van jullie nieuwe huis.'
Van de notaris kregen ze een bos bloemen en Jan-Jakob en Milly voelden zich reuze feestelijk.
'Gaan we zo nog even samen naar het huis?' vroeg Harm. 'Ik wil het graag persoonlijk afleveren. Ik ben de oudste van ons gezin, vandaar vermoedelijk dat ik me er verantwoordelijk voor voel dat alles in orde is.'
Achter elkaar aan reden ze naar Meederveld. Het was een zonnige dag in juni en het hele gehucht en hun doodlopende straat zagen er schitterend uit.

Bij het huis aangekomen, pakte Jan-Jakob Milly's hand en hij trok haar mee naar de voordeur. 'Liefje,' zei hij ontroerd, 'ik hoop dat we hier nog gelukkiger worden dan we al waren, maar zelfs als het tegenvalt, vergeet nooit dat ik van je houd. Dat is voor mij het enige dat telt.' Hij drukte een kus op haar lippen, stak de sleutel in de voordeur en duwde hem open. 'Welkom in je eigen huis,' zei hij tevreden en wilde haar naar voren duwen. Maar Milly greep zijn hand en trok hem met zich mee, zodat ze precies tegelijk over de drempel stapten. 'Ons huis,' zei ze nadrukkelijk. 'Ons droomhuis.'
'Fay ook!' hoorden ze achter zich.
'Natuurlijk,' zei Jan-Jakob opgewekt en geroerd. Hij pakte haar beet en zette haar in de gang van hun nieuwe huis. 'Hier wonen we nu.'
Nog steeds begreep Fay het niet, maar dat was best logisch.
'Als alles straks is ingericht en ze de dingen herkent, weet ze het wel,' zei Milly.
Harm kwam ook binnen en liep snel door het huis. 'De tuin? Is die in orde?' vroeg hij aan zijn broer. 'Tja, sorry, hoor,' zei hij verontschuldigend tegen Jan-Jakob en Milly, 'ik woon tegenwoordig in Amsterdam en heb het huis de afgelopen tijd niet meer gezien.' Hij liep naar buiten en kwam al snel weer terug. 'Hoefden die hokken niet weg?'
'Nee, hoor,' zei Milly, 'wij nemen ook kippen.'
'Leuk, vers eitje bij het ontbijt.'
'Precies. Maar ik heb wel een vraag.'
'O?'
'Dat huis links naast ons. Het laatste huis van de straat. Staat dat leeg?'

Harm knikte en liep naar buiten. Milly en Jan-Jakob volgden hem. 'Dat huis, bedoel je?' Hij grijnsde. 'Daar woonde vroeger een heks.'
'Haha,' zei Milly spottend.
'Echt waar,' zei Douwe nu, die meegelopen was. 'Een zeer oud mens, die met niemand iets te maken wilde hebben en als onze bal eens in haar tuin terechtkwam, kregen we die nooit terug! We hebben er heel wat fantasieën op losgelaten, want we begrepen niet wat een oud mens alleen in dat huis moest.'
De beide broers keken elkaar olijk aan. 'Mevrouw Bolhuis heette ze, maar wij zeiden altijd Bol. We zijn er nooit achter gekomen wat ze daar deed. Vaak brandden de lampen er midden in de nacht en dan zeiden we dat het spookte bij Bol. We noemden haar altijd Bol en later, nadat ze overleden was, noemden we het huis Bol. "Ga je mee bij Bol spelen?" zeiden we dan. Er kwam nooit iemand die het wilde verkopen of kopen. Het staat vast al vijftig jaar leeg.'
'Minstens!' voegde zijn broer toe.
'Vreemd,' vond Jan-Jakob. 'Zo'n huis moet toch van iemand zijn?'
'Dat zal best, maar misschien heeft de notaris nog steeds geen nabestaande gevonden of misschien heeft de nabestaande geen belang bij verkoop. De tuin wordt logischerwijze elk jaar een steeds grotere puinhoop, maar voor kinderen is het er een waar paradijs.'
'Wij hebben er vroeger een hut gegraven. Een ondergrondse hut. Dat mocht hier niet van onze ouders. Daarom deden we het daar.'
'Dus als je er eens aan de wandel gaat,' zei Harm, 'pas dan op dat

je er niet in valt.'
'O, weet je nog?' zei Douwe plotseling geestdriftig. 'Toen we na haar dood de tuin in gingen, ontdekten we een schuurtje dat niet op slot zat. Daarin lagen al onze ballen! Ze had ze keurig bewaard.'
'Dat is waar, ja,' zei Harm met een grimas. 'Zeg, mensen, ik geloof dat alles zo wel in orde is. Ik wens jullie hier veel geluk. Wij hebben ons hier ook altijd gelukkig gevoeld en een heerlijke jeugd gehad.' Hij schudde hun joviaal de hand en liep naar de auto. Douwe schudde ook hun hand. 'Als er nog vragen zijn over het een of ander, gewoon bellen, hoor! En inderdaad: veel geluk hier!'
Milly en Jan-Jakob keken hen na toen ze de straat uit reden, daarna liepen ze dicht tegen elkaar aan terug naar hun eigen huis.
In de verte verscheen de verhuiswagen. Hun nieuwe leven was begonnen.

HOOFDSTUK 3

Ze hadden zelden zo'n heerlijke vakantie gehad, al was het hard werken, want ze wilden zo veel mogelijk doen. Het huis moest ingericht worden, de huiskamer behangen, de gordijnen opgehangen en de televisie en andere apparaten moesten aangesloten worden. Ze kregen ook logees. De ouders van Jan-Jakob kwamen meteen al het eerste weekend. Ze kregen de mooie logeerkamer met balkon en uitzicht over de tuin naar de weilanden. Zijn ouders kwamen echter om te helpen en waren een reuze steun. Jan-Jakobs vader spitte een stuk van de achtertuin om waar Milly groente in zaaide. Meloenen en sla en alvast boerenkool voor de winter. Wortels zaaide ze ook, want een konijn hadden ze al aangeschaft. Fay was weg van het dier en als ze het uit het hok haalden, was ze er niet bij weg te slaan. 'Lief,' zei ze alsmaar en aaide het konijn, dat het blijkbaar heel prettig vond door haar geaaid te worden, want het liep nooit weg.
Jan-Jakob had direct een stevig hekwerk gebouwd en zijn vader hielp hem het af te maken. Zo kon Fay veilig in de tuin spelen, die verder was afgeschermd met een ligusterhaag.
Op de eerste dag kwam de buurvrouw al langs met een grote pan soep. 'Dag, ik heet Cornelia en woon naast jullie. Welkom in onze straat. Ik dacht dat jullie vast geen tijd hadden om te koken, vandaar deze pan met soep. Als jullie tijd hebben, kom dan eens bij me op de koffie.'
'Wat lekker ouderwets,' zei Milly vergenoegd. 'Erg lief van u en we komen zeker gauw een keer langs om kennis te maken.'
Ze voelden zich echt thuis in het huis en in de straat. Ze wa-

ren veel buiten bezig en als ze in de voortuin waren, kwam er vaak iemand uit de straat langs om zich voor te stellen en even een praatje te maken. Natuurlijk was iedereen erg benieuwd naar de nieuwe bewoners. Dat was logisch. Het was maar zo'n kleine straat met zo weinig huizen, dat het opviel als er nieuwe mensen kwamen wonen en het sprak voor zichzelf dat iedereen wilde weten wat voor vlees ze in de kuip hadden.

Maar veel waren ze niet bezig in de voortuin. Die was maar klein. De achtertuin trok veel meer, vooral met het schitterende zomerweer. Jan-Jakob legde een terrasje aan achter in de tuin, waar ze langs het kippenhok heen naar de weilanden konden kijken. En twee weken na hun komst zouden ze kippen gaan kopen.

Milly had al op internet gezocht wat voor soort ze graag wilden hebben en ze ontdekten een fokker niet ver bij hen vandaan, waar ze uitsluitend oud-Hollandse rassen fokten. Fay begreep er niets van. Ze wist hoe een kip eruitzag en ook wat een kip zei, maar om kippen te gaan kopen voor in de tuin, dat ging haar pet nog te boven. Ze begreep wel dat het leuk zou zijn en rende naar de auto, toen Jan-Jakob zei dat ze weg zouden gaan om de kippen te halen.

In het kippenhok, dat al schoongemaakt was voordat ze er kwamen wonen, had een kist gestaan met een deksel. Die kist zette Jan-Jakob in de kofferbak van de auto.

Ze kochten vijf bruine, jonge kippen, die volgens de fokker al snel hun eerste ei zouden leggen, en ze kochten er een haan bij van hetzelfde ras.

'Niet klagen dat hij jullie 's morgens wakker kraait,' zei de man met een knipoog. 'Dat hoort er nu eenmaal bij.'

‘Haha, ik ga pas klagen als hij níét kraait,’ zei Milly glunderend.
‘Meen je dat?’ De man schaterde. ‘Laatst waren hier ook van die westerlingen, zoals jullie. Ja, sorry, maar dat hoor ik natuurlijk meteen aan jullie stem. En die brachten de haan terug, omdat hij zo vroeg kraaide. Dat vonden ze maar niks. Daarom zeg ik het er maar bij. Je kunt de haan zeker als wekker gebruiken, maar je kunt hem niet op je eigen tijd zetten. Zeg, ze kunnen toch wel op stok, hè? Dat is ontzettend belangrijk. Hebben jullie een mooi nachthok?’
‘Ja, en helemaal schoon,’ zei Jan-Jakob. ‘Drinken staat al klaar en voer wilden we hier kopen.’
‘Ik zal je wat schelpengrit en maagkiezel meegeven. Dat helpt het voedsel beter te verteren. Een kip mag best af en toe een restje uit jullie keuken eten, maar niet te vaak.’
‘We hebben al hele verhandelingen op internet gevonden,’ vertelde Milly. ‘En we hebben ze uitgeprint.’
‘Ook nog lezen, graag.’ De man lachte. ‘Vanavond opletten of ze het nachthok wel ingaan, anders moeten jullie ze helpen. Morgen weten ze het dan zelf te vinden. Trouwens, liever niet optillen, daar houden ze niet van. Dat maakt ze bang, waardoor ze misschien gaan pikken. Het zijn absoluut geen troeteldieren.’
‘Daarvoor is het konijn,’ zei Jan-Jakob. ‘Dat heeft al vriendschap gesloten met onze dochter.’
Trots reden ze terug naar huis. ‘Vijf kippen en een haan, wie had dat ooit gedacht?’ zei Milly. Ze zag er zo gelukkig uit, dat Jan-Jakob zijn hand op de hare legde onder het rijden. ‘Heerlijk, hè, dat onze droom is uitgekomen.’
‘Ja, ongelooflijk heerlijk. Nu nog ...’

‘Wat?’ Hij keek een tel opzij, omdat het zo stil bleef en hij zag haar ernstige gezicht. Hij wist wat ze dacht en kneep een ogenblik in haar hand. ‘Het komt heus goed, Milly. Je raakt vast nog een keer zwanger. In elk geval hebben we Fay en mogen we om haar al heel gelukkig en dankbaar zijn.’

‘Klopt, dat ben ik vanzelfsprekend met je eens, maar het stomme is, dat ik het niet van me af kan zetten dat het aan mij ligt. Net of ik iets fout gedaan heb. Alsof het mijn schuld is. En daar kan ik alsmaar niet overheen komen.’

‘Je weet best dat het jouw schuld niet is,’ zei hij en voelde zich even teleurgesteld, want dit was immers niet de eerste keer dat hij dat zei. Eigenlijk vond hij dat ze daar nu overheen moest zijn. Ze mocht verdrietig zijn, omdat het kindje niet uitgegroeid was tot een baby, maar zich schuldig voelen, nee, dat mocht ze niet en dat wist ze toch? Hij dacht terug aan het gesprek met zijn moeder. Dat had hem wel goed gedaan. Zij had gezegd dat vrouwen het zich vaak persoonlijk aantrokken als ze een miskraam kregen. ‘Het voelt voor hen alsof hun lichaam hen in de steek gelaten heeft, ze voelen het als een afgang en nemen dat zichzelf kwalijk, Jan-Jakob. Daar moet je begrip voor hebben.’ Hij was blij dat hij er zo uitgebreid met zijn moeder over had kunnen praten. ‘Gaan we de kippen ook namen geven?’ vroeg hij om van onderwerp te veranderen.

‘Het zijn geen kinderen,’ kwam er onverwacht fel uit.

‘Nee, het zijn kippen.’ Hij begreep haar reactie echter wel, want wat waren ze lang bezig geweest om namen te vinden voor hun eerste kindje en natuurlijk hadden ze meteen al afgesproken hoe hun tweede kindje zou heten als het een jongen was. Die zou de

naam krijgen die ze ook voor Fay in gedachten gehad hadden, als zij een jongetje was geweest.
'Misschien kunnen we Fay ze namen laten geven. We kijken straks gewoon wat zij zegt als we de kippen en de haan in het hok doen.'
'Hm. Vind je trouwens de ren groot genoeg? Moeten ze niet vrij rond kunnen scharrelen in onze tuin?'
'Lijkt me beter van niet, Milly. Dan zijn we ze vast snel kwijt. Die ligusterhaag is weliswaar flink dichtgegroeid, maar kippen kunnen overal doorheen. En onder het schrikdraad door.'
'Dat is waar, ja.' Opeens lachte ze weer volop. 'Het is allemaal zo nieuw. Jaren van gedroomd, maar dromen is anders dan de werkelijkheid. Je kunt wel denken dat je kippen wilt, maar kippen kopen en hebben is heel wat anders.'
'Maar het is toch zeker minstens zo mooi als in onze droom.'
'Helemaal niet!' protesteerde ze met kracht. 'Tot nu toe is alles véél mooier dan ik ooit gedacht heb.'
'Dat klinkt geweldig en weet je wat? Ik ben het volkomen met je eens.'
'We moeten Fay volgende week ook opgeven op de school hier. Ze zijn natuurlijk gesloten omdat het zomervakantie is, maar we kunnen vast wel iemand bellen. Misschien mag ze in januari al naar school, omdat ze in maart vier wordt.'
'Oké. Trouwens, wanneer komen jouw ouders?'
'Mijn moeder wilde op één dag komen, net als naar Delfzijl. Ze ziet het niet zitten om hier te overnachten.'
'Rare ouders heb jij. Oeps, sorry,' zei hij verontschuldigend. 'Ik bedoel: wie wil hier nou niet de hele zomer wonen?'

'Precies. Kitty vroeg meteen al of ze twee weken kon blijven, maar daar heb ik van afgezien, hoor. Dat werd me te veel. Misschien als we hier gewend zijn. In elk geval hebben we afgesproken dat ze in de herfstvakantie een paar dagen komt met haar gezin. Dat duurt nog een poosje, maar tegen die tijd zijn ons huis en de tuin tenminste klaar.'
'Die jongens gaan vast de ondergrondse hut bij Bol zoeken, als we hun daarover vertellen.'
'Dat denk ik ook,' zei Milly opgewekt.
'We zijn er. Kom, Fay, we gaan de kippen loslaten.'
Fay had wel gezien dat de kippen in de kist gestopt waren, maar ze begreep er nog steeds niets van. 'Kom, loop maar mee,' zei Jan-Jakob.
Ze liepen tot aan het hekwerk bij de schommel en de zandbak, waar inmiddels nieuw zand in zat. 'Blijf hier maar staan en kijk goed,' zei Jan-Jakob tegen Fay. 'Milly, doe jij eerst wat voer in hun bak?'
'Ja, dan kunnen ze meteen beginnen met eten.' Ze deed het hekje van het slot en stapte erdoor. 'Daar blijven, Fay,' zei Milly, al maakte het meisje geen aanstalten haar te volgen. Milly vond het toch wat eng. Ze was geschrokken van het woord schrikdraad. Dat was iets dat ze totaal niet kende en het leek haar vreselijk als Fay er een keer tegenaan zou lopen als er stroom op stond. Ze pakte de zak met voer en vulde de schaal die ze er 's morgens neergezet had. Ze liet het deurtje openstaan, zodat de kippen de ren in konden.
Jan-Jakob kwam bij haar staan, schoof de kist de ren in en trok het deksel eraf. 'Kijk, Fay.'

Het meisje stond achter het hekwerk, maar volgde alles gespannen. Plotseling kwam er een kip uit de kist. Ze klapte in haar handjes van plezier. 'Kip, kip,' riep ze enthousiast. 'Kip, kip, kip, kip.'
'Kan ze al tellen?' vroeg Jan-Jakob verbaasd. 'Ze zei precies zes keer kip.'
Milly moest lachen. 'Nee, Fay kan niet tellen, maar jij ook niet. Je hebt er maar vijf uit gelaten, want de haan is er nog niet.'
'Oeps, foutje.' Hij keek in de kist en op dat moment vond de haan het tijd om eens naar zijn nieuwe omgeving te gaan kijken. 'Kip, kip!' riep Fay uitgelaten.
'Tja, ze heeft ook een bril nodig,' vond Jan-Jakob, 'want ze ziet dubbel.'
'Haha, wat zijn we grappig, als je maar weet dat je het over je eigen dochter hebt!'
'Een grapje moet kunnen.' Hij trok zijn vrouw naar zich toe en kuste haar. 'Ik had niet gedacht dat we ooit zo gelukkig zouden worden. Moet je ons nou hier zien. Buiten op ons grote stuk grond tussen onze eigen kippen en in de verte de weilanden met koeien.'
'Ja, eindeloos, maar laat me maar gauw los, ik ga het fototoestel ophalen.'

Fay was die dag niet meer bij het hek weg te slaan. Ze vergat zelfs het konijn. De hele tijd riep ze de kippen, maar die trokken zich niets van haar aan. Milly was bezig in hun groentetuintje. Ze had wat plantjes gekocht van sperziebonen. Het leek haar zo fantastisch om groenten uit de eigen tuin te eten. Ze begreep best dat

het veel werk was en als ze straks weer naar kantoor moest, zou het aanpoten worden, maar ze wilde zo veel mogelijk genieten van de kansen die dit huis en deze tuin hun boden.
In de serre had ze inderdaad een bak met tomatenplanten gezet. Douwe had het misschien als grapje voorgesteld, maar het was er zo warm, dat de serre prima als kas gebruikt kon worden en wat was er heerlijker dan straks een krop sla uit de tuin, gemengd met eigen tomaten uit de serre? En niet te vergeten, een vers eitje erbij.
Haar moeder lachte enigszins sarcastisch om al haar bezigheden. Die kon maar niet begrijpen dat Milly een kind van haar was. 'Je vereenzaamt daar nog in dat doodlopende straatje,' zei ze zuchtend door de telefoon.
'Kan zijn, mamma, maar dit was onze droom en als we deze kans niet benut hadden, zouden we daar alleen maar spijt van krijgen.'
'Als je er maar geen spijt van krijgt dat je daar bent gaan wonen.'
'Ach,' zei Milly nadenkend. 'Dan weten we tenminste hoe het is. Zolang je ervan droomt, blijft het schitterend in je gedachten. Nu kunnen we zelf ervaren of het echt zo is als we denken. En zo niet? Geen man overboord, toch? Er zijn vast meer mensen die ervan dromen buitenaf te wonen. We kunnen het heus wel weer verkopen.'
'Maar al dat werk! Jullie kunnen nooit meer op vakantie!'
'Misschien niet. De kippen moeten inderdaad elke dag gevoerd worden. Misschien dat we een dag over kunnen slaan als we naar Den Haag zijn, maar ik weet haast zeker dat er wel iemand in de familie te vinden is die hier met plezier twee weken wil zitten en tegelijk de kippen wil voeren.'
'Zoals?'

'Kitty, bijvoorbeeld, mamma, die klinkt helemaal jaloers als ik haar vertel hoe we hier wonen.'
'Nog een dochter van mij die niet van de stad houdt?' riep moeder verbaasd uit.
Milly lachte. 'Het is hier zo heerlijk dat ik elke dag het gevoel heb dat ik op vakantie ben in mijn eigen huis. Misschien wil ik wel nooit meer weg op vakantie. Trouwens, mamma, hoe gaat het eigenlijk met opa?'
'Met opa gaat het nog best. Ja, hij praat niet zo goed meer en heeft wat coördinatieproblemen bij het eten. Dat is nu eenmaal zo sinds het herseninfarct. Hij komt zijn kamer ook niet meer af, maar het gaat nog best met hem. Alleen zijn ze in het bejaardentehuis boos op me. De directrice was zelfs kwaad.'
'Kwaad?'
'Ja, ze kon maar niet begrijpen dat ik opa niet allang ergens had opgegeven voor een verzorgingstehuis. Nou, Milly, ik zou niet weten waarom. Toen oma twee jaar geleden overleed, wilde opa niet langer alleen blijven wonen. Hij was trouwens niet in staat om voor zichzelf te zorgen. Oma had hem altijd enorm verwend en alles voor hem gedaan. Bovendien kon hij er niet tegen om alleen te zijn. Daarom hebben we hem opgegeven voor een bejaardentehuis en daar was hij ook op zijn plek. Hij vond het prettig in de grote huiskamer en ging geregeld buurten bij hem op de gang. Nou, dan komt het toch niet in je op om hem op te geven voor een verzorgingstehuis?' zei Babs vrij fel.
'Natuurlijk niet!' was Milly het met haar eens.
'Mooi, met jou kan ik praten. Maar met hen niet. Ik moet zo snel mogelijk een plaats voor hem vinden, zeggen ze. Hij kost hun te

veel tijd. En dat is gewoon niet waar. Ik doe alles voor hem! Ik help hem zelfs elke dag met eten. Oké, hij krijgt drie keer per dag eten, maar ik ben er wel elke dag en ik verschoon zijn bed en neem stof af! Dat scheelt hun juist tijd.'
'Kunnen ze hem op straat zetten?'
'Nee, dat niet, maar ze zeiden dat ze hem naar een van die adressen konden brengen als ik niet met een alternatief kwam. En dan komt hij met vier of zes mensen op een kamer. Ik heb gezegd dat ik er alles aan zal doen een andere plek te vinden waar de wachttijd korter is. Maar ...' Babs zuchtte diep.
'Dus je probeert uitstel te krij... Fay, niet doen!' riep Milly geschrokken uit en sprong overeind.
'Wat gebeurt er?' riep Babs door de telefoon.
'Fay, meisje, dat mag niet. Je mag niet aan het hek komen.'
'Fay met de kipjes spelen!' zei het meisje.
'Nee, kipjes zijn niet om mee te spelen. Ga maar naar je konijn.'
Milly inspecteerde grondig het hek. Zat het goed op slot?
'Is het zo erg als Fay naar de kippen loopt?' vroeg moeder door de telefoon.
'Niet echt, maar achter het kippenhok zit schrikdraad en daar mag ze beslist niet aankomen.'
'Staat er stroom op?' vroeg moeder nu ook angstig.
'Eh? Nee, dat zal wel niet,' bedacht Milly. 'De koeien staan in de verte, niet achter ons huis. Er staat alleen stroom op als de koeien hier lopen.'
'Gelukkig,' verzuchtte Babs.
Milly moest lachen. 'Mamma, wat zijn we rare mensen. Als er een auto aan komt, zeggen we amper wat. Die kennen we en dat

gevaar zien we wel, maar om een stukje schrikdraad raken we in paniek. Ik denk dat auto's veel gevaarlijker zijn.' Milly ging weer zitten op het terras achter in de tuin. Vlak bij de kippen en vlak bij de zandbak. De draadloze telefoon had ze aan haar oor.
'Gisteren zijn we op visite geweest bij buurvrouw Cornelia. Een aardig mens. Ik schat haar een jaar of zestig en ze woont haar hele leven al in het huis hiernaast. Ze is er geboren en thuis blijven wonen om voor haar ouders te zorgen. Nadat die overleden waren, is ze er zelf blijven wonen.'
'Een ongetrouwde ouwe vrijster dus?'
'Ja, en dat zal ze wel blijven ook. Ze komt weinig het huis uit. Heeft alleen haar groentetuin als hobby. Stiekem dacht ik dat ik blij was dat ik er een baan buitenshuis naast heb, want alle dagen thuis, dat zou ik niet willen, al is het hier nog zo mooi!'

Tijdens hun laatste vakantieweek kochten ze een kleine, tweedehandsauto voor Milly. Ze was nooit in auto's geïnteresseerd geweest en het maakte haar niet uit hoe oud de auto was. 'Als hij het maar doet,' zei ze. 'Hij móét betrouwbaar zijn, zodat ik er altijd op kan rekenen.'
'Mevrouw,' zei de eigenaar van de garage die het dichtst bij Meederveld lag, 'als hij niet start, bel je ons en we komen we er direct aan.'
'Waar vind je nog zulke service,' zei Jan-Jakob later tegen zijn vader, toen hij belde om over de aanschaf te vertellen. 'Het platteland zit vol verrassingen.'
Op zondagmiddag, hun allerlaatste vakantiedag, bekeek Jan-Jakob zijn vrouw met een diepe rimpel op zijn voorhoofd. Hij

vond dat ze nogal stil was en dat ze er bleek uitzag. Zou ze ziek zijn? Hoofdpijn hebben? Of zag ze er tegenop om weer naar haar werk te gaan? Vervelend als ze inderdaad hoofdpijn had, want hij had een verrassing voor haar in petto.
'Milly,' vroeg hij voorzichtig. 'Is er wat?'
Ze keek hem niet aan, maar zuchtte. Hij kreeg het gevoel dat ze in huilen wilde uitbarsten. Waarom? Hij wilde niets liever dan zijn armen om haar heen slaan, maar tegelijk zag hij dat ze het muurtje weer had opgetrokken en niet aangeraakt wilde worden. Plotseling irriteerde het hem. Ze was zijn vrouw. Als hij haar vast wilde houden, moest dat kunnen. Hij kwam overeind en liep op haar af. Hij zakte door zijn knieën naast de stoel waarin ze zat en sloeg een arm om haar rug. 'Milly, vertel het me toch. Trek je alsjeblieft niet weer terug. We hebben zulke fijne weken gehad samen, blijf nou bij me.'
Nu keek ze hem aan, en hij stelde vast dat haar ogen inderdaad vochtig waren.
'Ik weet het niet. Eerst was ik blij en toen werd ik zo verdrietig.'
'Maar waarom? Is er iets gebeurd?'
'Ik ben ongesteld geworden,' fluisterde ze.
'Maar ...' Hij keek haar verrast aan. 'Dat is toch mooi?' zei hij vol overtuiging. 'Dat betekent dat je lichaam zich aan het herstellen is.'
'Daarom was ik eerst ook blij.'
'Nu niet meer?'
Ze hief haar hoofd op omdat ze een auto hoorde remmen. Er kwamen bij hun huis geen auto's die op doorreis waren. De enige auto's die bij hun huis kwamen, waren mensen die voor hen kwa-

men. De straat was immers doodlopend en het enige huis dat voorbij het hunne stond, was onbewoond. 'Krijgen we bezoek?' Ze fronste haar wenkbrauwen.
'Ja,' zei Jan-Jakob aarzelend. 'Ik dacht dat je dat leuk zou vinden. Ik had niet verwacht ...' Hij begon spijt te krijgen van zijn verrassing. Als ze zo verdrietig was, was bezoek alleen maar vervelend. Dan moest ze zich bewust goed houden.
'Wie?' vroeg ze, maar ze wachtte niet op antwoord en duwde zijn arm weg. 'Ik ga even naar boven, mijn gezicht opfrissen.' Toch klom ze de trap niet op, want door het raampje in de voordeur die ze passeerde, zag ze een haar bekende auto. 'Kitty?' vroeg ze verrast.
Jan-Jakob, die haar gevolgd was om de deur te openen, knikte.
'Echt?' Nu straalde Milly weer en Jan-Jakob vergat dat hij zich net nog schuldig gevoeld had dat hij deze afspraak met Milly's zus gemaakt had.
Milly rukte de voordeur open en rende naar buiten, recht in de armen van haar twee jaar jongere zus. 'Kitty, wat fantastisch. Wat leuk!' Milly barstte in tranen uit en hoewel Kitty niet wist waarom, duwde ze haar zus zachtjes de andere kant op, zodat haar man en kinderen Milly niet zagen huilen. 'Wat is er met jou?' vroeg Kitty. 'Of ben je zo blij dat je me ziet?'
'Ook!' snikte Milly.
'Wat nog meer dan?'
'Ik ben ongesteld geworden vanmorgen.'
'Maar meid, wat geweldig!'
'Jaja, dat is waar.'
'Maar?'

'We kunnen nu weer vrijen en het weer proberen en daar ...'
'Ja?'
'Daar ben ik bang voor!'
Kitty zweeg even. Ze duwde haar zus iets van zich af om haar aan te kunnen kijken. 'Dat begrijp ik wel,' zei ze. 'Je bent bang dat het weer misgaat.'
'Precies,' reageerde Milly opgelucht.
'Toch moet je het doen,' zei Kitty pertinent.
'Wat? Vrijen?'
'Ja. Weet je, als je een auto-ongeluk gehad hebt, zeggen ze altijd dat je direct weer achter het stuur moet kruipen. Als je dat niet doet, wordt je angst alleen maar groter en kun je op den duur nooit meer autorijden.'
Milly zuchtte. 'Dat zeggen ze, ja.'
'En dat is ook zo! Voor jou geldt hetzelfde. Als je het niet zo snel mogelijk weer probeert, wordt je angst steeds groter. Denk aan Fay. Bij haar is het zo goed gegaan. Zo kan het de volgende keer weer gaan.'
'Of niet,' zei Milly somber.
'Of niet, ja. Statistisch gezien echter gaat het in de meeste gevallen wél goed. De kans is daarom groter dat het goed gaat dan niet.'
'Maar het kán verkeerd gaan.'
Omdat Kitty verpleegkundige was, begreep ze precies waarmee haar zus worstelde. Ze knikte haar warm toe. 'Er kan zo veel misgaan. We hebben net drie uur in de auto gezeten en we hebben vijf auto's met pech langs de kant van de weg zien staan. Daar hadden wij ook tussen kunnen staan. Of het gebeurt straks

op de terugweg. Maar dat betekent niet dat we straks niet teruggaan. Als je elk risico wilt uitsluiten, hadden we niet eens in de auto moeten stappen om hierheen te rijden. Maar ik wilde je zo graag zien. Of nee, om eerlijk te zijn, wilde ik jullie huis zien. Ik kon niet wachten tot het herfstvakantie was. Dus heb ik het risico genomen van een auto-ongeluk of van pech onderweg. Snap je? Als je iets wilt, moet je risico's durven nemen.'

Milly glimlachte voorzichtig. 'Net als de koop van dit huis. Mamma denkt dat we er spijt van krijgen, omdat het zo afgelegen ligt.'

'Tja, die kans loop je.'

'Maar we wilden het zo graag.'

'Dan moet je dat risico op de koop toe nemen en als het inderdaad zo is, verkoop je het huis weer en ga je ergens anders wonen.'

'Maar een kindje dat in je buik zat en niet wilde groeien, dat kun je nooit meer herstellen.'

'Milly, het was nog geen kindje. Je bent het zo vroeg kwijtgeraakt, dat het niet anders kan dan dat er geen embryo ontwikkeld was. De aanleg was niet goed en daarom werd het geen embryo. Eigenlijk ben je niet eens zwanger geweest. Je lichaam dacht het, maar het was niet zo. En als het zo ontzettend mis is meteen al in de aanleg, moet je juist blij zijn, dat dit gebeurd is. Dit kindje, als het eventueel iets verder gegroeid was, had niet kunnen leven. Het zat gewoon ernstig fout en de natuur heeft het voor je opgelost.'

Milly zuchtte en haalde een zakdoekje uit haar broekzak om haar neus te snuiten.

'Ik weet,' ging Kitty verder, 'dat gevoel en verstand twee verschillende dingen zijn. Toch moet je eens nadenken over wat ik zei over een auto-ongeluk en dat je meteen weer achter het stuur

moet. Ergens is het precies hetzelfde.'
Milly zuchtte, maar het klonk niet meer zo dramatisch. 'Wat een heerlijke verrassing dat je er bent.'
'Had Jan-Jakob het je niet verteld?'
'Nee, ik wist nergens van, maar ik vind het echt fijn. Simon en de kinderen zijn al naar binnen. Zullen wij ook? Ze snappen vast niet waar we blijven.'
'Leuk, ja, want ik ben vreselijk nieuwsgierig. Zeg, wie woont hier eigenlijk?'
Ongemerkt waren ze doorgelopen naar het huis van Bol. De grote voortuin was een woestenij.
'Niemand, dit huis staat al vijftig jaar leeg.'
'Vijftig jaar? Vreemd.'
'Maar ons huis is bewoond. Kom op!' Milly kon weer lachen en trok haar zus mee naar hun eigen huis.
'Wat een plaatje,' zei Kitty bewonderend.
'Je hebt het vanbinnen nog niet gezien en de tuin erachter al helemaal niet.'
'Wel waar, je hebt tientallen foto's gemaild. Ik weet alles al.'
Ze hadden een paar fantastische uren samen. Milly genoot er volop van dat haar zus er was en dat zij nu ook alles aan iemand van haar familie kon laten zien. 'Je moet pappa en mamma ook sturen, hoor,' zei Milly nadrukkelijk.
'Tja, mamma is druk met opa. Ik bedoel dat ze elke dag naar hem toe gaat. Ze kan volgens mij geen dag overslaan. Maar ik zal uitgebreid vertellen hoe mooi je hier woont en aanbieden dat ik in haar plaats naar opa ga, als zij naar jou gaat. Trouwens, het is geweldig om te zien hoe Fay het hier naar haar zin heeft.'

'Ja, ze geniet zo. Ze is altijd buiten te vinden en dat kan hier ook. Ze heeft niet een keer meer naar het vorige huis gevraagd of naar de buurkinderen daar. Jouw kinderen hebben het hier anders net zo naar de zin.'
'Ja, die zullen vanaf nu wel zeuren of we niet eerder kunnen komen dan in de herfstvakantie, maar we houden ons aan onze afspraak, hoor.'
'Ik ben benieuwd of ze die ondergrondse hut nog gevonden hebben,' mengde Jan-Jakob zich in het gesprek.
'Voor die kwajongens van ons is het natuurlijk ideaal als je het oerwoud van de buren bij je tuin kunt betrekken,' zei Kitty's man Simon opgeruimd. 'Maar hoe leuk we het hier ook hebben, we moeten nu naar huis. Het is bijna vijf uur. Als we pauzeren onderweg en een hapje eten zijn we pas tegen halfnegen thuis. De kinderen hoeven weliswaar morgen niet naar school, maar ze hebben hun slaap hard nodig.'
'Neem je wat pruimen mee?' vroeg Milly. 'Ik zal snel een tasje pakken. We hebben er veel te veel. Ik heb al jam gemaakt, maar dat is haast jammer, want ze smaken zo lekker.'
'Graag,' zei Kitty. 'Wat een genot, vruchten uit eigen tuin.'
Simon zocht hun twee zoons op in de tuin van Bol, terwijl Kitty hun dochtertje bij de buitenkraan probeerde te fatsoeneren. 'Mooie kleren kun je hier maar beter niet dragen,' zei Kitty hoofdschuddend.
Een kwartiertje later reden ze weg. Milly zwaaide net zo lang tot ze in de verte de hoek om gingen en geheel uit het zicht verdwenen waren. Jan-Jakob sloeg een arm om haar heen en zo liepen ze terug naar hun huis.

‘Dat was een heerlijke laatste vakantiedag,’ zei Milly tegen hem. Ze drukte een kus op zijn wang. ‘Lief dat je dat geregeld hebt.’

‘Ik vond het ook erg gezellig.’ Jan-Jakob was blij dat het bezoek Milly zo goed gedaan had en genoot hij ervan dat ze weer zo opgewekt was. ‘Ik ga de afwasmachine vullen,’ zei hij en liep door het huis naar de achtertuin, waar hij de kopjes, schoteltjes en glazen verzamelde op een dienblad. Opeens spitste hij zijn oren. Kwamen ze terug? Hij wist zeker dat hij een auto hoorde. Waren ze iets vergeten? Hij hoorde hoe de auto hun huis passeerde en vlak voor Bol afremde en draaide. Hij verwachtte dat Simon weer gas zou geven voor de laatste meters terug naar hun huis, maar dat gebeurde niet. De motor werd afgezet. Dat bevreemdde hem. Had Simon pech met de auto? Was dat de reden waarom hij teruggekomen was? Hij liep op de ligusterhaag af en duwde wat takjes opzij om te kunnen zien wat er met hen aan de hand was. Verbaasd zag hij dat het hun auto helemaal niet was, maar een vreemde, onbekende auto. Hij was opgelucht dat Simon en Kitty geen pech hadden, maar wat deed die donkerblauwe auto daar? Daar had immers niemand iets te zoeken? Toch stapten er twee mensen uit, die al snel voor Jan-Jakob niet meer zichtbaar waren door de hoge struiken in de voortuin van Bol. Peinzend ging hij verder met het oppakken van het serviesgoed. Hij dacht aan wat buurvrouw Cornelia gezegd had. ‘Hier houden we alles in de gaten, dus je hoeft niet bang te zijn. Elke vreemde auto wordt hier opgemerkt.’ Dat was logisch in zo’n klein, doodlopend straatje, waar niemand iets te zoeken had als ze er niet hoefden te zijn. De hele straat zou inmiddels weten dat zij vanmiddag bezoek gehad hadden van een gezin met drie kinderen. Het had hem gerustgesteld dat ze in de gaten gehouden werden en dat elke vreemde auto opviel, maar tegelijk wist hij niet wat hij nu moest doen. Hij was het niet gewend om op auto's te letten. Zeker in Den Haag wist je niet welke auto's er allemaal in jouw straat hoorden. En als de donkerblauwe auto bij buurvrouw Cornelia had gestopt, had hij er ook totaal geen aandacht aan besteed, al begreep hij nu dat dat juist wel de bedoeling was. Want buurvrouw Cornelia had geen donkerblauwe auto. Maar ze kon best een vriendin hebben met zo'n auto. Tja, het klonk zo aardig dat alle vreemden in de gaten gehouden werden, maar wat deed je met die informatie? In elk geval besloot Jan-Jakob om nu niets te doen. Als hij een vreemde auto zag, had iedereen die gezien en als er alarm geslagen moest worden, zouden anderen dat wel doen, die meer ervaring hadden met het zo afgelegen wonen. Raar was het in elk geval dat er bij Bol een auto was gestopt. Een huis, dat al vijftig jaar leegstond!

HOOFDSTUK 4

'Jullie krijgen nieuwe buren!'
Milly had nog geen stap buiten de deur gezet of Cornelia stond naast haar. Milly wist bijna zeker dat de buurvrouw de hele tijd op de loer had gestaan om haar op te wachten. Maar het was dan ook wel belangwekkend nieuws. 'Echt?' riep Milly verbaasd uit. 'Gaat u verhuizen?'
'Ik?' Cornelia keek haar verward aan, tot het tot haar doordrong wat Milly dacht. 'Nee, ik niet. Júllie krijgen nieuwe buren.'
'Dat bedoel ik,' zei Milly. 'Gaat u weg dan?'
'Nee, mij moet je horizontaal uit dit huis wegdragen. Het huis van Bol is verkocht.'
'Van Bol?' Nu keek Milly nog verbaasder. 'Het stond vijftig jaar leeg? Weten ze dan wie de eigenaar is?'
Cornelia haalde haar schouders op. 'Geen idee, maar ik heb al een paar keer een donkerblauwe auto bij Bol zien staan en Annet van nummer 3 wist te vertellen dat dat een auto van een makelaar is. Ze herkende hem ook, want zij had bij dezelfde makelaar hun huis gekocht.'
'Ik dacht dat Annet hier ook geboren was?' Zo goed kende Milly alle mensen nog niet.
'Nee, ze is hier komen wonen toen ze trouwde, misschien zo'n tien jaar geleden nu. Haar man is wel van Meederveld. Zijn ouders wonen op de hoofdstraat.'
'Aha. Ik leer het wel, hoor,' zei Milly vrolijk.
'Als je hier maar lang genoeg blijft wonen,' vond Cornelia.
'Precies. Weet u al wie er hier komen wonen?'

'Nee, maar gisteren zat er een jongeman bij de makelaar in de auto. Ik had ze wel gezien, een oudere en een jongere en volgens Annet is die oudere de makelaar.'
'Dat zou leuk zijn, jonge mensen,' vond Milly. 'Een paar kinderen erbij zou voor onze Fay heel plezierig zijn.'
'Als ze net zo lief zijn als Fay, heb ik er geen bezwaar tegen, maar dit was altijd een rustig buurtje en dat zou het moeten blijven ook,' vond Cornelia.
Oeps, dacht Milly inwendig grinnikend. Daar kwam de ouwe vrijster weer om de hoek kijken. 'En onze haan? Hebt u daar geen last van?'
'Hanen horen hier. Wij hebben altijd een haan gehad, maar nadat de laatste doodgegaan was, heb ik geen nieuwe meer genomen. Ik was blij dat jullie een haan namen.'
Gelukkig, dacht Milly, want stel dat het Cornelia ergerde, dat wilde ze niet. Ze hadden maar zo weinig buren. Ze had geen behoefte aan een intensief contact, maar ze wilde graag op goede voet met hen staan. 'In de herfstvakantie komt mijn zus met haar gezin hier een paar dagen logeren. Die hebben drie kinderen.'
'Vertel mij wat,' zei Cornelia. 'Die heb ik een paar weken geleden al gehoord op een zondag. Ik was opgelucht dat ze weer weggingen.'
Zo, dat was duidelijke taal. 'Ik moet even kijken wat Fay aan het doen is, buurvrouw. Maar het is een spannend bericht dat u vertelde.'
'Als ik meer weet, hoor je het wel,' zei Cornelia, die zichtbaar ontevreden was omdat Milly al zo snel weer wegliep. Maar buurvrouw moest toch begrijpen dat ze Fay niet zo lang alleen wilde laten. Of was ze uit geweest op een uitnodiging? Had ze bij haar

op de koffie willen komen? Maar eigenlijk had Milly daar geen zin in. Goed contact was prima, maar absoluut niet overlopen, was haar idee.

Fay bleek zoet in de zandbak te zitten. Ze was taartjes aan het bakken en praatte ondertussen tegen het konijn. 'Hoeveel lust jij er, Ko? O, deze is niet goed.' Met haar vlakke handje sloeg ze op een mislukt taartje. Ze lachte om zichzelf en bakte een nieuwe.

Het was woensdag, Milly's vrije dag. Op die dag ging Fay nooit met Jan-Jakob mee naar het dagverblijf en het was duidelijk dat Fay dat ook nodig had. Op het dagverblijf was het behoorlijk druk en een rustige dag tussen de drukke dagen in, leek haar uitstekend te bevallen.

Milly was benieuwd hoe het haar op school zou vergaan. Ze hadden haar inmiddels opgegeven en het hoofd van de school was in zijn sas met de aanmelding. 'Totaal hebben we zesentwintig leerlingen voor de hele school, dat is erg weinig. Fay zal de enige zijn in groep 1, dus ze komt bij de kinderen van groep 2 en 3 in de klas, maar maakt u zich niet bezorgd, ze hoeft heus niet meteen te kunnen rekenen en schrijven.'

'Maar ze kan er ondertussen veel van opsteken,' had Jan-Jakob geantwoord.

'Precies. Het kan geen kwaad om bij hogere groepen in de klas te zitten.'

'Mamma gaat de ramen lappen,' zei Milly nu tegen Fay.

Het meisje keek op. 'Jij moet ook een taartje.'

'Straks, als de ramen klaar zijn. Ik begin aan de voorkant, bij de straat. Ik laat de poort openstaan, zodat je me kunt roepen als er wat is.'

Milly was verbaasd dat Fay rustig in de zandbak bleef zitten. Normaal hielp ze juist graag, want knoeien met water was altijd een feest. Maar misschien was knoeien met zand wel een groter feest? Dat had ze bij het vorige huis niet vaak kunnen doen. Even bleef ze stil staan kijken naar hun prachtige dochter, toen liep ze weer door de poort en naar de voortuin, waar ze de met water gevulde emmer had laten staan. Naast de emmer stond Cornelia.
'Was er nog iets?' vroeg Milly enigszins geïrriteerd.
'Ja, ik zag die emmer staan. Je gaat de ramen lappen?'
'Helemaal,' zei Milly en bukte zich om de spons uit de emmer te pakken.
'Ik dacht: misschien kun je de mijne tegelijk doen. Als je toch bezig bent, gaat het in ene moeite door. Dan doe ik volgende week jouw ramen erbij.'
Milly keek haar vragend aan. 'Sorry, ik begrijp u niet.'
'Ik vind het niet leuk om elke week de ramen te lappen. Dus als jij het nu voor mij doet, doe ik het volgende week voor jou en zo zijn we allebei maar eens in de veertien dagen aan de beurt.'
'Aha, bedoelt u dat? Nou eh ...'
'Goed idee, toch?'
'Sorry, Cornelia, maar dat vind ik niet. Ik lap de ramen misschien maar eens in de zes weken. Om de veertien dagen is me veel te vaak.'
'Ben je er zo een? Geertje op 5 doet het zelfs bijna nooit. Tegenwoordig is een baan belangrijker dan het huis.' Cornelia trok haar neus op en verdween. Milly keek haar beduusd na.

's Middags belde ze haar moeder en vertelde wat Cornelia allemaal verteld had.

'Word je daar nou niet knettergek van?' riep Babs uit. 'Al dat geroddel over de buren, en vast en zeker altijd achter de gordijnen staan om te gluren wie er is en niet is en wie eraan komt.'
Milly vertelde maar niet dat Cornelia gemerkt had dat Kitty met haar gezin was geweest. 'Het geeft juist een veilig gevoel, mam. De buren weten het wanneer er iets niet in de haak is.'
'Jaja, maar ze weten zo ook alles wat wel in de haak is.'
'Het plattelandsleven is nu eenmaal anders dan het stadsleven. Wanneer kom je nu eens kijken?'
'Ik kan zo moeilijk bij opa weg.'
'Kitty wil best in jouw plaats gaan als je hierheen komt.'
'Kitty, Kitty. Natuurlijk moet die naar opa gaan. Het is haar opa. Maar ze moet niet als mijn vervanger gaan.'
'Mamma ...' begon Milly, maar ze slikte de rest van de zin in. Ze wilde zeggen dat zij haar dochter was en haar ouders miste en er, net zoals haar opa, naar verlangde moeder op bezoek te krijgen. Maar daarop zou moeder ongetwijfeld zeggen dat het haar eigen schuld was. Milly was immers degene die zo ver weg was gaan wonen.
'Je moet echt binnenkort weer eens thuiskomen,' ging Babs verder. 'Vroeger ging je zeker eens per twee weken bij opa en oma langs. En nu kom je er nooit meer.'
'Mamma, toen woonde ik in Den Haag. Ik stapte op de fiets en ik was er. Je kunt me niet verwijten dat ik te weinig naar hem toe ga.'
'Te weinig?' wierp haar moeder tegen. 'Je gaat nooit meer.'
Daar had ze eigenlijk gelijk in. Milly kon zich op dat moment niet meer herinneren wanneer ze voor het laatst bij hem geweest was.

Zeker een halfjaar geleden. 'Ik zal het met Jan-Jakob overleggen.'
'Fijn. Ik verheug me op jullie komst. Niet omdat je naar opa toe gaat, maar omdat wij je zelf al zo lang niet meer gezien hebben.'
'Ik beloof nog niets, hoor,' zei Milly quasi dreigend.
'Jawel, je hebt beloofd dat je gaat overleggen met Jan-Jakob en dat resulteert er altijd in dat jullie besluiten naar huis te komen.'
'Mamma! Dít hier is ons huis.'
'Je kunt zo lang blijven als je wilt.'
'Heel kort dus, want wij kunnen de kippen niet lang alleen laten. Tenzij ze mee mogen?'
'Milly!'

Haar moeder had gelijk. Jan-Jakob vond dat ze inderdaad weer eens naar Den Haag moesten reizen.
'Maar niet langer dan één nacht van huis,' zei Milly. 'Het konijn moet gevoerd worden.'
'We zouden buurvrouw kunnen vragen of zij de dieren wil voeren,' stelde Jan-Jakob voor.
'Alsjeblieft niet,' zei Milly. 'Het is een aardig mens en haar soep smaakte prima, maar ik wil haar hier niet in haar eentje rond laten lopen. Ik weet zeker dat ze in alle kasten en laden gaat snuffelen.'
'We hoeven de sleutel van het huis toch niet te geven? Alleen van de poort en het hek naar het kippenhok.'
'Hm, misschien, maar voorlopig nog niet. Nee, ze weet al genoeg van ons. Ze wist zelfs dat Kitty mijn zus is. En ...' voegde ze met een geheimzinnige blik toe. 'Ze wist te vertellen dat het huis hiernaast verkocht is.'

Jan-Jakob keek haar vol verbazing aan.
'Ja, ze had een donkerblauwe auto waargenomen en die was van een makelaar.'
Jan-Jakob keek haar opgelucht aan. Hij had nooit verteld dat hij die auto gezien had. Hij wist niet wat hij ermee moest. Nu bleken zijn zorgen en overpeinzingen dus ongegrond te zijn. En inderdaad, er waren anderen die de auto ook gezien hadden. Alles was weer in orde. 'Ik hoop dat het een jong gezin is, want daar ontbreekt het een beetje aan in deze straat.'

Het was een zonnige ochtend in augustus toen ze de auto inpakten om naar Den Haag te gaan.
'Het gordijn beweegt,' siste Jan-Jakob met een ingehouden grijns.
'Zullen we buurvrouw vertellen wat we gaan doen?'
'Misschien wel zo aardig,' vond Jan-Jakob met een fonkeling in zijn ogen. 'Ik mag dit wel. Dit is zo anders dan in de stad. Ik kan er gewoon van genieten dat we begluurd worden.'
Milly lachte ook. 'Goed. Ik zeg het haar even. Breng jij de rest naar de auto? Alles staat klaar op het aanrecht.' Milly had een grote doos vol fruit en groente uit eigen tuin klaargemaakt. Appels, die ze ontdekt had aan een boom, die weliswaar in de tuin van Bol stond, maar waarvan de takken zwaarbeladen met appels boven hun grondgebied hingen. Die kon ze niet laten wegrotten. En pruimenjam, wat kropjes sla, een paar tomaten en verse eieren. De boontjes waren nog niet groot genoeg om te plukken, maar bieslook was er en dille. Alles om haar moeder jaloers te maken, had ze grinnikend gedacht bij het vullen van de doos.
Nu liep ze naar de voordeur van buurvrouw Cornelia. De deur

ging open voordat ze op de bel gedrukt had. 'Milly, gaan jullie weg?'
'Eén nachtje maar. Mijn ouders bezoeken.'
'Kunnen die zelf niet rijden?' vroeg Cornelia.
'Jawel. Hoezo?'
Cornelia haalde haar schouders op en Milly begreep het. Ze had Milly's ouders nog niet gezien, alleen de ouders van Jan-Jakob. Daarom dacht ze dat. Ze opende haar mond om het uit te leggen, maar sloot hem weer. Nee, alles hoefde Cornelia niet te weten.
'We hopen morgen eind van de dag weer terug te zijn. Tot dan!'
'Fijn weekend,' riep Cornelia snel naar haar rug.
'Eigenlijk is ze heel zielig,' zei Milly later in de auto.
'Oma, opa. We gaan naar oma en opa,' viel Fay haar in de rede.
'Ja, meisje, dat heb je goed. Opa en Oma Van Berckel.'
'Nee,' zei Fay. 'Andere opa en oma.'
'Sorry, Fay, we gaan naar opa en oma Van Berckel.' Milly was nogal verrast dat Fay protesteerde. Dat was een grote zeldzaamheid. Ze keek achterom om te zien of het een grapje was of dat ze het meende. Haar snoetje stond ernstig. 'Fay wil naar opa en oma Hoeks.'
'Die herinnert ze zich natuurlijk het best,' zei Jan-Jakob. 'Die zijn immers onlangs bij ons geweest. Het is behoorlijk lang geleden dat we jouw ouders gezien hebben.'
'Maar niet zo lang, dat ze het zich niet herinnert en blijkbaar heeft ze geen leuke herinneringen aan hen.' Milly draaide zich verder om, al was dat lastig met de veiligheidsgordel om. 'Fay? Waarom wil je naar opa en oma Hoeks?'
'In de tuin graven. Opa gaat graven.'

'Zou ze echt weten dat mijn ouders in een flat wonen en jouw ouders in een huis met tuin? Hoe lang is het inmiddels geleden dat we in Den Haag geweest zijn? Voor de miskraa... Eh, ja, voor de miskraam,' zei Milly zuchtend.
'Ze bedoelt misschien dat mijn vader onze tuin heeft omgespit voor de moestuin.'
'Ah, dat zal het zijn.' Milly keerde zich weer naar Fay. 'Oma Van Berckel heeft een poppenhuis, weet je dat nog? Een prachtig poppenhuis.'
'O?'
'Ja, en daar mag jij mee spelen.'
'Fay wil drinken.'
'Dat kan.' Milly gaf haar een tuitbekertje. Ze kon al goed uit een gewone beker drinken, maar in de auto vond Milly dat te eng. 'Maar we gaan ook bij de andere opa en oma op bezoek, hoor!'
'Wie vind jij zielig?' probeerde Jan-Jakob weer terug te komen op wat Milly zei.
'Vind ik iemand zielig?'
'Dat zei je.'
'O, ja ... Cornelia. Die heeft niets anders om handen dan haar tuin en ons in de gaten te houden. En dat doet ze erg slim, want ze weet inmiddels al meer dan ik dacht.'
'En jij weet meer dan ik denk,' zei Jan-Jakob zacht. 'Je hebt me nog steeds niet verteld waarom je verdrietig was toen je ongesteld bleek te zijn en dat is inmiddels al ruim twee weken geleden.'
'Wacht je al die tijd op antwoord?' vroeg ze verbaasd.
'Eigenlijk wel, al zie ik best dat je niet meer verdrietig bent en al merk ik dat je 's nachts weer lekker tegen me aan ligt in bed.

Toch wil ik het graag weten. Ik wil je begrijpen. Kunnen begrijpen. Je moet me alles vertellen.'
'Je bent lief,' zei ze. 'Toevallig kwam Kitty juist op bezoek en heb ik met haar gepraat. Dat is niet eerlijk naar jou toe, maar ik ben er een stuk van opgeknapt. Omdat ik ongesteld was geworden, zou ik in principe ook weer zwanger kunnen raken en daar was ik bang voor. Bang dat het weer op niets uitloopt.'
'En? Heeft Kitty je van die angst afgeholpen?'
'Nog niet helemaal, maar ze heeft me wel in laten zien, dat je daar weinig mee opschiet en dat je er gewoon weer voor moet gaan.'
'Ja?' Hij keek opzij, om haar ogen te zien. Die stonden goed, rustig, warm.
'Het is alleen zo'n grote stap voor me om weer met je te gaan vrijen. Het is net of ik het doe om weer zwanger te raken en daarom wil ik het niet doen.'
'Waarom dan?'
'Omdat ik van je hou,' zei ze zacht. 'Uit liefde, niet om ...'
Jan-Jakob vond het vervelend dat hij zo geconcentreerd op de weg moest letten. Veel liever had hij de auto stilgezet om haar aan te kunnen kijken. Maar daardoor zou de lange rit nog langer duren. Hij stak zijn hand uit en legde die op haar schoot. Milly pakte hem en streelde hem. Dat was een heerlijk gevoel. 'Laten we een afspraakje maken,' zei hij. 'De eerste dag nadat je weer ongesteld geweest bent. Ik bedoel: de eerste dag als het voorbij is. Dan ben je niet vruchtbaar, toch?'
Milly knikte.
'Doen we dat.' Hij knipoogde liefdevol. 'Leuk, ik heb een af-

spraakje met mijn vrouw! En weet je, lief, ik verheug me erop, want ik houd ook van jou.'

Ze kregen het behoorlijk druk dat weekend. Natuurlijk gingen ze eerst naar Milly's ouders, maar ze zouden ook Jan-Jakobs ouders bezoeken en even bij Kitty en haar gezin langsgaan. En niet te vergeten: opa. Milly wilde graag dat Fay meeging. 'Ze heeft er misschien weinig aan en ze zal het vast niet zo leuk vinden, maar het overkomt lang niet iedereen dat hij nog een overgrootvader heeft.'

Ze vonden het bejaardentehuis gemakkelijk, al verbaasde Milly zich onderweg ernaartoe over de drukte in de stad. Ze merkte dat ze dat inmiddels ontwend was en stiekem was ze blij dat Jan-Jakob reed. In het tehuis liepen ze de trappen op naar opa's verdieping. Milly klopte zacht op de deur van zijn kamer, maar ze hoorde geen reactie. Ze deed de deur open en zag hem. Opa sliep. Hij zat weliswaar in zijn grote favoriete fauteuil, maar hij had zijn ogen gesloten en Milly meende hem zelfs zachtjes te horen snurken. Het liefst liet ze hem slapen. Hij zou het vast nodig hebben. Ze keek Jan-Jakob vragend aan, maar besloot, zonder te overleggen, hem wakker te maken. Ze waren immers speciaal voor hem naar Den Haag gekomen, en ze wilde liever niet terug naar huis zonder hem gesproken te hebben. Ze liep op hem af en legde haar hand op zijn gevlekte en gerimpelde hand. 'Dag, opa,' zei ze met een heldere stem.

De oude man schrok en sperde zijn ogen wagenwijd open.

'Niet schrikken, opa,' zei ze zacht. 'Ik ben het maar.'

Hij zag er ontzettend verward uit en ze voelde medelijden met

hem. 'Milly? Wat doe jij nou hier? Je woont hier toch niet meer?'
'Nee, opa, dat klopt, maar we hebben een auto.'
Hij grijnsde. 'Je bent zeker een kleinkind van mij. Slim en verstandig.'
Milly begreep haar moeder opeens nog beter. Opa leek prima in orde! Hooguit wat moe, maar dat was niet gek, toch? Ze keek naar zijn oude, getekende gezicht en bedacht dat hij heel wat had meegemaakt in zijn leven. Altijd in de bouw gewerkt, een zwaar leven. De Tweede Wereldoorlog meegemaakt.
'Hoe gaat het met je, Milly?'
'Goed, opa. En met Jan-Jakob en Fay ook.' Ze riep hen erbij. 'Kijk, ik heb ze meegenomen.'
'Woon je nog steeds in Groningen?'
'Ja, opa, maar we zijn wel onlangs verhuisd naar een groot huis met een enorme tuin, toch is het nog steeds in Groningen.'
'Daar ben ik ooit eens geweest voor mijn werk,' zei hij, zonder naar Jan-Jakob of Fay te kijken. Het leek een ogenblik alsof hij zelfs niet meer wist dat Milly er was, zo verzonk hij in gedachten.
'Ja? Dat wist ik niet. Wanneer?'
'Twee kameraden van mij wilden daar naar werk zoeken. Ik ging mee. We sliepen in een pension. Ik was weken van huis.'
'Dat vond oma zeker niet leuk?'
'Oma? Wat heeft die ermee te maken?'
'Uw vrouw. Zij vond het vast niet leuk om zolang alleen te zijn.'
Hij keek haar verward aan.
'Liesbeth,' hielp ze hem.
Hij fronste zijn wenkbrauwen. 'Nee, het was eerder. Voordat ik haar kende. Ik denk dat ik zeventien was. Voor mijn diensttijd.

En vlak na de oorlog. Wij hadden hier niet veel te eten en in Groningen waren boeren met brood en vlees, hadden we gehoord. Natuurlijk was hier meer werk, omdat hier meer gebombardeerd was dan in Groningen, maar ik had honger en wilde weleens wat anders zien. Het was een hele belevenis.' Even gleed er een grimas over zijn gezicht. 'Jij stapt in de auto en rijdt hierheen, maar in die tijd ging dat anders. Op het openbaar vervoer kon je amper rekenen. Het meeste deden we lopend, hopend op een lift. Voor ons was het een wereldreis.'
'Dat geloof ik graag, opa.' Ze keek hem instemmend aan. 'De tijden zijn veranderd. Wij hebben zelfs twee auto's, omdat we zo afgelegen wonen. Het is tien kilometer naar Delfzijl en dat vinden we te ver om te fietsen.'
'Jullie zijn verwend,' vond opa.
'Dat klopt. Opa, mag ik een foto van u en Fay maken? Mag ze bij u op schoot zitten? Het lijkt me zo leuk voor haar dat ze een foto heeft samen met u.'
'Hm.'
'Kom, Fay, ga eens bij oude opa op schoot zitten.'
Maar Fay schudde haar hoofd en ergens begreep Milly dat wel. Opa zag er zo oud uit en ze kende hem amper, herinnerde zich hem misschien zelfs niet eens meer. 'Weet je wat, ga maar naast hem staan, dan kan het ook.'
'Als jij aan de andere kant gaat staan,' bemoeide Jan-Jakob zich ermee, 'maak ik een foto van jullie drieën. Goed?'
Jan-Jakob drukte af en bekeek de foto. 'Kom, Fay, iets vrolijker graag.' Hij maakte nog een foto en keek toen tevreden naar het beeld. 'Kijk, opa, hier kunt u zien hoe de foto geworden is.' Jan-

Jakob hield hem het digitale toestel voor en opa keek er verrast naar. 'Ik snap niet wat er tegenwoordig allemaal kan,' verzuchtte opa. Hij sloot zijn ogen.
'Bent u moe? Zullen we weggaan?' vroeg Milly.
Er kwam geen antwoord. Zachtjes verlieten ze de kamer. Milly was blij dat ze geweest was, al had het maar erg kort geduurd. Opa had hen gezien en zij hadden opa gezien. Ze zou hem een afdruk van de foto sturen.
Ze liepen de trappen af naar beneden. Buiten haalde Milly diep adem. Het viel haar op dat de lucht anders was dan in Groningen. Ondanks dat er een grote tuin bij het bejaardentehuis was, rook de lucht naar uitlaatgassen. Wat heerlijk dat ze hier niet meer woonde.

HOOFDSTUK 5

Het mooiste van een weekendje Den Haag was de weg terug naar Meederveld, had Milly gedacht. Natuurlijk was het heerlijk haar ouders weer te zien en even bij opa langs te gaan, maar niets haalde het bij hun droomhuis. Datzelfde dacht ze ook toen ze de volgende dag na haar werk naar huis reed en genoot van de vergezichten. Hoewel ze eerst langs de drogist ging. In heel Meederveld was namelijk geen enkele winkel. Er was alleen een kroeg, die tevens als dorpshuis gebruikt werd. Milly had graag voldoende medicijnen in huis, zoals paracetamol en hoestsiroop. Het was nog lang geen winter, maar het waaide toch al af en toe behoorlijk venijnig en Fay was zo graag buiten sinds ze daar woonden, dat Milly graag goed voorbereid was. En in het naburige dorp waar ze voor de dagelijkse boodschappen naartoe gingen, was geen drogist. Het was wel wennen, dat je niet alles zomaar kon krijgen en dat je voor het ene hierheen moest en voor het andere daarnaartoe, maar ze begon er al geroutineerd in te raken.
Alleen zat ze nog een beetje met Cornelia. Die bleek alle boodschappen haar hele leven al met de fiets te doen. Prima, maar ze begon ouder te worden en acht kilometer naar de supermarkt begon haar soms te zwaar te worden, had ze verteld. Milly voelde dat Cornelia hoopte dat zij aan zou bieden om elke week voor haar de boodschappen te doen, maar Milly had niets gezegd. Als ze echt niet meer kon, zou ze haar vanzelfsprekend helpen, maar ze was nog steeds van mening dat ze niet een te intensief contact wilde met haar buurvrouw.
Een paar minuten voordat Jan-Jakob met Fay thuis zou komen,

reed Milly de oprit naast hun huis op en parkeerde de auto. Ze stapte uit en proefde de frisse buitenlucht. Bijna twee maanden woonden ze hier nu en tot nu toe had ze er elke dag van genoten. Het was zo geweldig fijn thuiskomen in deze straat en in dit huis. Ze stak haar hand op naar het bewegende gordijn en liep naar de brievenbus die vooraan de tuin stond. Er zat niets in, maar dat was meestal zo op maandag. Iets in haar ooghoek trok haar aandacht en ze draaide haar hoofd om en keek naar het huis van Bol, maar ze zag niets. Ze haalde haar schouders op en liep langs hun eigen huis naar de tuin. Hoewel het korter was om via de voordeur naar binnen te gaan, had Milly er een gewoonte van gemaakt om achterom te gaan. Dan zag ze rond in de tuin en keek ze naar de kippen en of het konijn in het hok zat en of de boontjes nu misschien rijp waren om te plukken.
In de keuken ruimde ze de medicijnen op op de bovenste plank in een van de kastjes boven het aanrecht, zodat Fay er onmogelijk bij kon en haalde de bak met aardappels uit de bijkeuken om ze te gaan schillen.
'Mamma, mamma, Fay is thuis!'
'Hallo schatje!' Milly tilde haar op en knuffelde haar. Ondertussen keek ze blij naar Jan-Jakob, die echter een rimpel op zijn voorhoofd had staan. 'Wat is er?' vroeg ze hem.
'De nieuwe buren zijn er,' zei hij. 'Ik zag twee jongemannen.'
'O?' Ze zette Fay weer neer en deed een stap naar voren om Jan-Jakob te kussen.
'Dus we krijgen geen buurkindertjes,' zei hij met een spijtige klank in de stem.
Milly lachte. 'Tegenwoordig kan alles. Misschien hebben ze ze zelfs al.'

‘Hm, nou ja, niets op tegen, hoor, en trouwens, mannen houden veel meer van voetbal dan vrouwen. Ik kan ze uitnodigen als er een goeie wedstrijd op de televisie is.’ Hij keek haar vergenoegd aan.

‘Haha, en ik voor de koffie en de kinderen zorgen zeker?’

‘Jij hebt het door!’ Hij trok haar met een grijns op zijn gezicht tegen zich aan en drukte een kus op haar mond. ‘Ik loop nog even terug naar de auto. Ik heb immers een paar zakken voer gekocht voor de dieren. Tot zo.’

Milly tilde Fay in de kinderstoel, zodat ze bij het aanrecht kon en de geschilde aardappels in het water kon plonzen. ‘Als het eten op het vuur staat, gaan we naar paardenbloembladeren zoeken voor Ko,’ zei Milly. Fays ogen straalden. Milly wist dat ze er goed aan gedaan hadden om hier te gaan wonen. Niet alleen omdat het de droom van Jan-Jakob en haar was, maar ook voor Fay die zo duidelijk van het leven hier genoot.

Juist toen ze naar buiten wilden gaan, kwam Jan-Jakob de keuken in. ‘Staat het vuur laag onder de pannen?’

‘Ja.’

‘Loop dan even mee. Gaan we ons hiernaast voorstellen. Ze zijn aan het sjouwen met meubels. We hebben weliswaar geen pan met soep, maar we kunnen ze wel onze hulp of eieren aanbieden, toch?’

‘Eieren! Dat is een goed idee. Wacht, ik pak gauw een leeg doosje en doe er tien in. Een ei kan iedereen bakken of koken. Hebben ze toch wat in huis als ze zelf niets gekocht hebben.’

Met Fay huppelend tussen hen in liepen ze de dertig meter naar het huis van Bol. Er was op dat moment niemand buiten, daarom

belde Jan-Jakob aan. Er kwam geen reactie.
'Doet de bel het wel?' vroeg Milly. 'Ik hoorde niets.'
Jan-Jakob belde nog een keer, maar met hetzelfde resultaat. Dus bonsde hij op de deur.
Plotsklaps ging die op een kier open. Een jongeman met een ongeschoren gezicht keek door de kier naar hen. Zijn blik viel op het doosje met eieren dat Milly in haar hand had. 'Wij kopen niets aan de deur.'
'Deze eieren zijn niet te koop,' zei Milly hartelijk. 'Die krijgen jullie van ons. We zijn jullie buren en wonen hiernaast.' Ze wees naar hun eigen huis. 'We heten Jan-Jakob, Milly en Fay.'
'Fay, Fay!' riep het kleine meisje opgetogen.
'Wat moet ik met die eieren?' vroeg de man bepaald niet toeschietelijk.
'Voor het geval jullie niets in huis hebben,' legde Jan-Jakob uit. 'En als we ergens mee kunnen helpen, dan moet je dat gewoon zeggen.'
'Wij redden onszelf wel,' zei de man. 'Als jullie dat ook doen, hebben we geen last van elkaar.' Hij greep de eieren die Milly hem toestak en gooide de deur dicht. Ze hoorden hoe hij de grendels ervoor schoof.
Verbouwereerd keken ze elkaar aan.
'Nou, dat was duidelijk,' vond Milly en draaide zich om.
'Fay ook!' Ze begreep niet wat er aan de hand was en dat was logisch. Fays ouders begrepen het net zo min. Ze liepen weer terug naar huis. 'Nou ja, het was goed bedoeld,' zei Jan-Jakob. 'Is het eten klaar?'
'Ik zou paardenbloembladeren plukken met Fay voor Ko. Dat heb

ik haar beloofd. Als jij dat doet, zet ik het eten op tafel.'
Milly dekte de ronde tafel in de keuken. Voor hun drietjes was ze tamelijk groot, maar de tafel zag er zo uitnodigend uit, dat Milly zich er steeds weer op verheugde om eraan te gaan eten. Een kleine domper op het plezier was de vreemde reactie van de buren. Hij had niet eens gezegd hoe hij heette. Ineens grijnsde ze. Wat zou buurvrouw Cornelia wel niet te vertellen hebben over deze vreemde buren?

Dat kreeg Milly twee dagen later al te horen. 'Het zijn twee jongemannen,' fluisterde Cornelia. Ze kwam direct op Milly af toen die thuiskwam van het boodschappen doen. 'Wil je een kop koffie drinken?' voegde ze toe. Ze had duidelijk veel meer te vertellen.
'Fay komt ook mee, Cornelia.'
'Jaja, dat begrijp ik. Ik heb speciaal voor haar toffees in huis gehaald.'
Milly schudde zachtjes haar hoofd. Cornelia was een jaar of zestig. Ze wist best dat kinderen tegenwoordig niet meer veel snoep mochten, maar Cornelia leek nooit met kinderen in aanraking gekomen te zijn en leefde haar leven in het tijdperk waarin ze zelf nog kind was. Maar het was natuurlijk lief dat ze bij het inkopen speciaal aan Fay gedacht had. 'Ik breng even de boodschappen naar binnen, dan komen we.'
Eigenlijk had ze haar vrije woensdag in de tuin willen doorbrengen, maar een halfuurtje naar de buurvrouw moest kunnen. Ze zette de boodschappen op het aanrecht, deed de diepvriespizza's in de diepvries, die in de bijkeuken stond, en nam Fay mee naar de buurvrouw. Snel pakte ze nog een paar poppen, zodat Fay iets

te doen had. Dat was echter overbodig, want Cornelia had zelf een aantal poppen tevoorschijn gehaald. 'Die waren van mij, toen ik klein was,' zei Cornelia.
'Wat aardig van u dat Fay daarmee mag spelen.'
Cornelia schonk koffie in en ging zitten. 'Ik heb ze gisteren ontmoet. Er was er een bezig in de voortuin struiken aan het uittrekken. Een prima gelegenheid om kennis te maken, dacht ik. Ik stapte op hem af en stelde me voor. Hij keek me niet eens aan!' riep ze geërgerd uit. 'En zijn naam zei hij ook niet. Die andere kwam erbij staan en vroeg wat ik daar moest. Nou ja, zeg. Als buurvrouw mag je je toch zeker voorstellen!'
'Dat vind ik ook,' vond Milly en vertelde nu alsnog wat haar en Jan-Jakob overkomen was. Ze hield niet van roddelen, maar dit was zo onfatsoenlijk geweest dat het haar dwars zat en het luchtte op om het te vertellen.
'Nou, daar zijn we klaar mee. Twee mannen nog wel!'
Milly grinnikte. 'U wilde toch niet al te veel kleine kinderen in de straat.'
'Ja, maar zó bedoelde ik dat niet.'
Na drie kwartier lukte het Milly op te staan en weer naar huis te gaan. 'Het is wel mijn vrije dag, maar het is de dag waarop ik het hardste werk,' zei ze verontschuldigend. 'Er groeit zo veel onkruid in mijn groentetuintje en het kippenhok moet schoongemaakt worden. Bedankt voor de koffie, buurvrouw.'
Terug in de keuken zag ze op haar mobiele telefoon dat ze een oproep gemist had. Haar zus had haar gebeld. Fay zat alweer in de zandbak, dus belde ze Kitty op.
'Is er iets?'

'Nee, joh, ik wilde alleen maar weten hoe het met jou is.'
'Goed! Prima zelfs.'
'Hè, dat klinkt geweldig. Fijn. Maar ik ben inmiddels op mijn werk, daarom heb ik nu jammer genoeg geen tijd om te praten. Sorry.'
'Oké, werk ze. Ik heb lekker vrij.' Milly verbrak opgewekt de verbinding. Ze ruimde de boodschappen op en ging ook naar buiten. Ze wilde eerst het onkruid in de groentetuin wieden, maar ze hoorde gerommel aan de andere kant van de ligusterhaag en liep er nieuwsgierig naartoe. Blijkbaar werden er nog meer spullen uit de auto geladen. Zo klonk het in elk geval. Milly duwde wat takken opzij om een glimp op te vangen van de nieuwe buren. Ze zag het witte busje staan, dat ze twee dagen geleden ook gezien had. Ze zag door de dichte begroeiing heen maar één benedenraam van het huis. Daar hingen nu lamellen voor die hermetisch gesloten waren. Ook boven zag ze dichtgetrokken gordijnen. Gezellig, dacht ze. Die willen geen pottenkijkers. Komt goed uit, want dat willen wij ook niet. Toch voelde het niet prettig aan dat juist deze mensen in dat huis waren gaan wonen en Milly merkte dat haar eigen tuin een heel klein beetje aan charme had ingeboet.

's Avonds belde Kitty weer. 'Sorry, hoor, van vanmorgen. Ik had je gebeld terwijl ik op weg was naar mijn werk, maar op het moment dat jij terugbelde, kon ik niet langer praten.'
'Dat begreep ik, maar was er wél iets belangrijks? Ik bedoel: omdat je nu opnieuw belt.'
'Niet echt. De belangrijkste reden was dat ik wilde weten hoe het met je gaat.'

‘Maar je hebt me zaterdag nog gezien. Dat snapte ik vanmorgen ook al niet.’
‘Dat klopt wel, maar ik wist het ondanks dat niet zeker. Ik dacht dat je het misschien niet wilde vertellen, omdat Simon en de kinderen erbij waren. Nu wil je misschien wel praten.’
‘Maar er is niets, Kitty. Het gaat heel best met me. Ik voel me prima en ik geniet van het huis. We hebben alleen vreemde en onaardige buren gekregen, verder is er niet aan de hand.’
‘En met jou en eh ... Jan-Jakob?’
Milly voelde dat ze bloosde. ‘Komt helemaal goed!’
‘Oké, Oké,’ riep Kitty. ‘Maar áls er iets is, bel je me, hoor. Ik wil je altijd aanhoren en als het kan, helpen.’
Milly keek naar Jan-Jakob. Ze zaten samen op het achterste terras met uitzicht op de weilanden. ‘Zal ik nog eens koffie halen of wil je wat anders?’
‘Ik heb best zin in een koud flesje bier. En weet je, ik vind dat we hier een barbecue moeten bouwen en een kachel moeten aanschaffen. Ik wil hier zelfs kunnen zitten als het niet meer zo warm is.’
‘Mee eens,’ zei ze instemmend. ‘Vooral die kach...’ Maar ze hield op omdat ze duidelijk een auto voor het huis langs hoorde rijden. Hun tuin was zeker vijftig meter diep. Met het huis en de voortuin erbij zaten ze op minstens zeventig meter afstand van de weg. Toch klonk het alsof de auto over hun terras reed.
‘Die is gek,’ zei Milly. ‘Dit is geen crossbaan.’

HOOFDSTUK 6

Milly was zenuwachtig. Ze had iets met Jan-Jakob afgesproken en nu moest ze het doen ook. En al waren ze al een paar jaar getrouwd, ze zag er nu erg tegen op.
'Jan-Jakob, ik ben een paar dagen geleden weer ongesteld geworden.'
'Fijn, zeg. Wanneer was het de vorige keer? Netjes vier weken geleden?'
'Zo ongeveer wel, ja.'
'Dat klinkt goed dus,' zei hij. 'Je lichaam lijkt weer helemaal hersteld.'
'Hm.'
'Wat hm?' Hij lachte zachtjes en liep op haar af.
'Precies hm,' zei ze. 'We hadden een afspraakje.'
'Ja, dat weet ik best. Of wil je niet?'
'Ik weet het niet!' Ze zuchtte. 'Ik ben er zo zenuwachtig van.'
'Rare meid,' zei hij met een lieve uitdrukking op zijn gezicht. Hij trok haar tegen zich aan. 'We houden toch van elkaar? Dan is het normaal dat we af en toe lekker knuffelen en soms zelfs verdergaan.' Hij streelde haar haren en haar wangen, drukte een lichte kus op haar mond.
'Ik wil ook ontzettend graag met je vrijen. Al weken! Maar ik durf niet.'
'Dus daarom had je me niet verteld dat je weer ongesteld was.'
Ze knikte.
'Maar we zouden het juist alleen maar doen omdat we van elkaar houden, zonder andere bijbedoelingen.'

'Maar toch ...'
'Meisje.' Hij kuste haar nu nadrukkelijker en hij voelde hoe ze erop reageerde. Dat deed hem goed. Ze was nog steeds de vrouw die van hem hield. 'Als je niet wilt, is dat prima, Milly. Echt, dat neem ik je niet kwalijk.'
'Ik wil toch, maar ...'
Hij zei niets, wilde haar geen woorden in de mond leggen. Hij bleef haar zachtjes strelen over haar haren en haar liefdevol tegen zich aanhouden.
'Het is alweer zo lang geleden. Het lijkt net of ik niet meer weet hoe het moet. Vroeger deden we het spontaan als we zin hadden en die spontaniteit is weg. Het voelt alsof het moet, omdat we het hebben afgesproken, terwijl ik juist graag wil.'
'Beetje tegenstrijdig dus,' zei hij vertederd.
'Ja, en daar word ik zenuwachtig van. Verlegen bijna. Alsof het onze eerste keer is.'
'Weet je, eigenlijk zou het altijd zo moeten voelen. Alsof het altijd de eerste keer is. De eerste keer is de meest speciale keer. Dan ken je elkaar nog niet zo goed en staan al je voelsprieten uit. Dan ben je zo alert en tegelijk ook zo verliefd.'
'Pfff, wat kan jij het moeilijk maken. Ik ga koffiezetten,' zei ze en haastte zich de huiskamer uit naar de keuken. Ze wist best dat hij gelijk had en ze wist ook dat ze het die avond zouden doen. Omdat ze van elkaar hielden. Niet om weer zwanger te raken. Dat kon altijd nog, als het lukte. Nu ging het erom dat ze elkaar weer zouden laten zien dat ze echt van elkaar hielden. En dat deed ze. Waarom aarzelde ze toch zo? Omdat ze diep van binnen nog steeds het gevoel had dat haar lichaam het had laten afwe-

ten. En waarom zou het dat op andere gebieden niet ook doen? Als het geen kindje meer kon laten groeien, kon het misschien ook niet meer alles voelen en genieten van een heerlijke vrijpartij met haar eigen man. Ze zuchtte, terwijl ze wachtte tot de koffie doorgelopen was. Ze wist dat ze moeilijk deed, maar ze had nooit eerder een miskraam gehad en de gevoelens die daarbij kwamen kijken, verwarden haar. Het huis had de meeste gedachten naar de achtergrond geschoven, maar vanavond waren ze er plotseling weer.

'Ben je Haagse kopjes aan het maken?' vroeg Jan-Jakob, terwijl hij om de deur van de keuken keek.

'Haagse? Ik heb nog niet eens ingeschonken.'

Jan-Jakob lachte. 'Ik bedoel niet of we halve kopjes koffie krijgen, maar of je de bonen in Den Haag aan het halen bent. Het duurde zo lang,' voegde hij als verklaring toe.

'Haha, wat ben je weer leuk.'

'Ja, toch?' Hij stapte de keuken in. 'Er komt een mooie film op televisie. Zullen we daar samen naar kijken? Lekker knus tegen elkaar op de bank?'

Twee uur later vertrokken ze naar boven. Milly werd bij elke stap die ze op de trap zette zenuwachtiger. Het was verstandig geweest om een afspraakje met Jan-Jakob te maken, anders zouden ze het nooit doen. Maar tegelijk was het zo vreemd, want nu "moest" het dus.

Gelukkig was Jan-Jakob lief en geduldig, zoals hij altijd was. Milly wist al snel dat het dom van haar was geweest om zenuwachtig te zijn.

Op de slaapkamer trok hij haar dicht tegen zich aan. Hij sloot zijn handen rond haar gezicht en kuste haar zacht op haar wangen, haar neus, haar oogleden en haar oren. De kussen waren zo vederlicht, dat ze er rillingen van kreeg en merkte hoe haar hele lichaam op hem reageerde. Langzaam knoopte hij haar blouse open, maar plotseling was het Milly te langzaam en help ze hem haar blouse en lange broek uit te trekken. Toen stond ze voor hem in haar ondergoed. Ze had een kanten beha met een bijpassend slipje aan en ze zag hoe Jan-Jakob haar bewonderde. 'Wat ben je toch mooi,' verzuchtte hij en trok zijn eigen overhemd en broek uit. Opnieuw trok hij haar tegen zich aan. Hun bijna naakte lichamen raakten elkaar. Sinds de miskraam waren ze niet meer zo intiem geweest en opeens wist Milly dat ze dat nu juist al die tijd gemist had. Het geborgen gevoel in zijn blote armen, haar huid tegen de zijne. Bij hem was ze veilig! Samen met hem kon ze de wereld aan. Waarom had ze zich zo van hem teruggetrokken? Waarom had ze hem van zich afgehouden? Onverwachts begon ze te ze huilen. De tranen stroomden en ze snikte het uit. 'Sorry, Jan-Jakob,' probeerde ze te zeggen, maar er kwam weinig geluid uit haar keel, op het huilen na. 'Ik ben stom geweest,' zei ze met schorre stem.
Jan-Jakob streelde haar naakte rug en schouders. Hij wachtte geduldig tot ze wat rustiger werd, maar duwde haar ondertussen wel naar het bed, zodat ze konden gaan zitten. Hij was blij dat ze eindelijk huilde. Hij had er al die maanden al op gewacht. Eindelijk kwam nu toch het verdriet eruit. Hij liet haar begaan, drukte af en toe een kus op haar schouder en streelde haar haren, maar zei verder niets, want woorden waren niet nodig. Hij voelde dat

ze hem eindelijk nodig had, zijn aanwezigheid, zijn liefde. Of nee, dat ze inzag dat ze hem nodig had.
'Het spijt me dat ik je alsmaar wegduwde,' zei ze na een poosje. Ze zocht onder haar kussen naar een zakdoek, maar vond er geen. Ze kwam overeind en liep naar de badkamer. Even keek ze naar de gesloten deur van Fays kamer. Ze gunde haar zo een broertje of zusje. Ze pakte het doosje met tissues dat op de badkamer stond en liep ermee terug naar de slaapkamer, ging weer naast hem zitten, voelde zijn arm om haar heen. 'Ik merk nu pas hoe ik jou gemist heb. Het spijt me zo, Jan-Jakob, dat ik me voor je afsloot.'
'Het is al goed, liefje. Ik begrijp je toch. Het is goed.'
Ze snoot haar neus en veegde haar tranen weg. Ze keek hem aan. Ze zag liefde in zijn ogen en wist dat hij dat in haar ogen zag. 'Ik hou van je,' zei ze zacht.
'Dat weet ik toch. Dat heb ik al die tijd geweten.' Hij kuste haar op haar lippen en dat was het sein waarop Milly zich niet meer in kon houden. Ze trok hem wild tegen zich aan en fluisterde: 'Ik wil je voelen, overal voelen. Ik heb het zo gemist!'
Hij maakte haar beha los en zelf trok ze haar slipje uit.
'Lief, wat ben je mooi,' zei hij met verstikte stem. 'Kom.' Hij tilde haar op en legde haar languit op het bed, maar ze voelde dat het te lang geleden was dat ze gevrijd had, dat ze hem verschrikkelijk gemist had, dat ze ontzettend veel zin in hem had en trok hem wild naar zich toe. 'Ik wil je!' zei ze hees.
Hij glimlachte. 'Ik wil jou ook.' Hij rolde op zijn rug en trok haar boven op zich. Op dat moment reed er een auto langs hun huis met zo'n herrie dat het leek alsof hij dwars door hun slaapkamer reed.

Ondanks die vervelende storing genoten ze volop van elkaar en Milly voelde zich de volgende ochtend prettiger dan ze zich in lange tijd gevoeld had. 'We hadden dit veel eerder moeten doen,' zei ze slaperig.
'Welnee, je was er niet aan toe,' zei Jan-Jakob.
'Maar ik heb je zo gemist. Al die tijd dat we hier wonen. Ik was zo gelukkig met het huis en de tuin, maar er ontbrak iets. Nu is het gelukkig weer terug en is alles beter dan ooit.'
Hij kroop dicht tegen haar aan en kuste haar. 'Onze liefde was er steeds, ondanks dat we niet vrijden, toch?'
'Dat is zo, maar bij liefde hoort aanraken en ik weet dat ik dat niet wilde, en ik wist ook niet dat ik het miste, maar nu vind ik het dom dat we dit niet eerder gedaan hebben.'
'We hebben tijd genoeg om alles in te halen,' zei hij. Zijn ogen fonkelden. Het was duidelijk dat Jan-Jakob er net zo van genoten had en zich stukken beter voelde.
'Ben je niet boos op me?' vroeg ze timide.
'Doe niet zo raar! Je had tijd nodig en daar had ik alle begrip voor.'
'Dat heb ik gemerkt, ja. Bedankt.'
'Kom op, we moeten opstaan,' zei hij. 'Het is tijd en Fay is wakker.'
Dat laatste was het startsein voor Milly om inderdaad uit bed te komen. Ze gaf Jan-Jakob een snelle kus en verdween naar Fays kamer. 'Hoi, meisje, ben je wakker? Kom, dan gaan we wassen en aankleden.'
Ze maakten zich klaar om naar hun werk te gaan. Fay ging, zoals altijd, met Jan-Jakob mee naar zijn werk. Milly vertrok een half-

uur later en ruimde daarom eerst de ontbijtboel op. Met dat ze in haar auto wilde stappen, kwam Cornelia op haar af. 'Heb je het ook gehoord?'
'Ja,' zei Milly, die meteen wist waar de buurvrouw op doelde.
'Het moest toch niet mogen!' vond Cornelia.
'Ze zouden een dertigkilometerzone van onze straat moeten maken,' zei Milly. 'Maar tot nu toe was zo'n bord niet nodig. Iedereen reed vanzelf al langzaam, omdat dit een doodlopende straat is.'
'En midden in de nacht!' voegde Cornelia verbolgen toe. 'Ik heb daarna uren in bed liggen draaien. Ik kon de slaap niet meer vatten.'
'Tja, ze houden er vreemde gewoontes op na,' zei Milly. 'Ik vraag me werkelijk af, waarom ze zo laat nog bezoek krijgen.'
'Precies. Er is daar iets niet pluis, dat kan ik je wel vertellen.'
'Ik moet echt weg, Cornelia. Anders kom ik te laat op mijn werk. We spreken elkaar nog wel.'
'Morgenavond, toch?'
'O ja, dat is waar. Was ik compleet vergeten. Tot morgenavond dan.'
'Wacht even, Milly. Ik wilde je wat vragen.'
'Ja?'
'Kom jij nog langs een winkel vandaag? Ik heb beloofd een salade te maken voor morgenavond en ik heb alles gekocht wat er in moet, maar geen mayonaise. Is dat niet stom? Eigenlijk is het me te veel om acht kilometer te fietsen voor alleen een pot mayonaise.'
'Oké, heb ik vanavond bij me als ik thuiskom.'

'Wel echte mayonaise, hoor. Niet van dat halve spul. Dat smaakt niet.'
'Goed, Cornelia, maar nu moet ik weg. Dag!'
Milly stak haar hand op naar de buurvrouw die op de stoep bleef staan. Ze zag dat Cornelia niet naar haar keek, maar naar het huis van Bol. Even voelde ze medelijden met de buurvrouw, die haar hele leven in deze straat gewoond had en waar het altijd rustig was geweest. Eerst kreeg ze buren met een kind. Gelukkig voor haar een rustig kind. Behalve als Milly's zus met haar drie kinderen langskwam. En vervolgens kreeg ze buren die alleen 's avonds laat gasten ontvingen.
Dat was dan ook het onderwerp van gesprek de volgende avond, toen ze bij een van hen een barbecue hielden in de tuin. Iedereen was er, behalve de twee mannen die naast Milly woonden.
'Zijn ze wel uitgenodigd?' vroeg Annet van nummer 3. Ondertussen onderwierp ze Milly aan een grondig onderzoek. 'Wat is er met jou? Je straalt helemaal. Ben je in verwachting?'
Milly kleurde. Was het zo duidelijk aan haar te zien dat ze zich zo geweldig voelde sinds ze weer met Jan-Jakob gevrijd had? 'Nee, dat ben ik niet. Ik voel me gewoon lekker.' Ze was verrast dat ze dat zo gemakkelijk kon zeggen. Nog niet zo heel lang gleden zou ze anders gereageerd hebben op de woorden in verwachting. Het ging duidelijk weer goed met haar. Ze was blij dat ze dat zelf constateerde.
'Tuurlijk zijn ze uitgenodigd,' gaf Patrick, de kunstenaar uit hun straat, antwoord. 'We hebben iedereen uitgenodigd. Geertje, die op nummer 5 woont,' voegde hij speciaal voor Milly toe, 'heeft de uitnodigingen gemaakt en ik heb ze bezorgd. Ik weet zeker dat

ik er bij hen ook een in de bus heb gestopt.'
'Dan niet, toch?' vond Cornelia. 'Ze zouden de avond vast alleen maar verpesten. Ze horen hier niet.'
'Maar als ze wel gekomen waren,' vond Patrick, 'hadden we hen erop kunnen aanspreken. Nu zitten wij onderling tegen elkaar over hen te mopperen. Het was beter geweest als we dat tegen hen zelf gezegd hadden.'
'Dat is waar,' zei Milly, 'maar ik vrees dat buurvrouw Cornelia gelijk heeft: ze horen niet bij ons.' Ze vertelde van hun eerste ontmoeting met de eieren.
'Dat ze die aannamen,' zei Annet verbaasd.
'Dat verraste mij ook, maar misschien hadden ze inderdaad niets in huis,' lachte Milly.
'Komen jullie iets op de barbecue leggen?' riep Annets man. 'Hij is nu heet genoeg. Er zijn karbonaadjes, hamburgers, kipfilets. Kies maar uit.'
Milly zag dat Fay bij Jan-Jakob stond, die juist een hamburger op de barbecue legde. Ze liep met een tevreden gevoel op hen af.
'Mamma, hamburger. Fay krijgt een hamburger.'
'Lekker, hè? Zullen we vast een bordje pakken en er wat sla op doen?'
'Ik wil geen sla, ik wil chips.'
'Ook goed. Vandaag mag je kiezen waar je zin in hebt.'
Fay was het enige kind in het gezelschap. Dat was wat sneu voor haar, maar iedereen deed aardig tegen haar en ze accepteerden haar ook allemaal.
Patrick kwam op hen af. 'Ik zou Fay graag als model willen gebruiken.'

'O?' Milly keek hem verrast aan. 'Waarvoor? Wat maak je eigenlijk voor kunst?'
'Kom maar eens langs, dan kun je het zien. Je bent altijd welkom, hoor. Ik maak kunst van afval. Dat klinkt niet mooi, maar het wordt wel mooi, al zeg ik het zelf.' Hij grijnsde. 'Ik verkoop zelfs geregeld een van mijn stukken. Als het klaar is, kun je nog amper zien dat ik er afval voor heb gebruikt. Ik maak composities, voorwerpen. Meestal abstract, maar er zit altijd iets menselijks in. Ik zou de uitstraling van Fay eens willen uitproberen. Ze is zo jong, zo onschuldig nog. Dat zou ik willen gebruiken. Misschien mag ik een foto van haar maken?'
'Je maakt me erg nieuwsgierig,' zei Milly. 'Ik kan me niet voorstellen dat je van afval iets kunt maken dat de uitstraling heeft van Fay.'
Patricks mondhoeken gingen omhoog. 'Ik zei toch: kom maar eens kijken. De meeste mensen trekken hun neus op als ik vertel wat ik doe, tot ze het zien.'
'Oké, dan kom ik een keer en ik zal Fay meenemen. Nu ga ik haar helpen met het eten.'
Fay was inmiddels met haar bordje naar Jan-Jakob gelopen, die de hamburger erop legde. 'Pak maar een stoel,' zei hij, 'of ga in het gras zitten.'
Milly liep naar de barbecue. Het bleek dat Jan-Jakob zo lief was geweest er een karbonaadje voor haar op te leggen, dat bijna gaar was.
'Haal even een bordje op,' zei hij.
Ze liep naar de tafel waar de bordjes stonden naast het stokbrood, de salades en vruchten, maar schrok van de onverwachte herrie

die voorbijkwam.
'Die is er vroeg bij,' zei Cornelia geschrokken.
'We gaan er iets van zeggen,' zei Patrick. 'Wie gaat er mee?'
Drie mannen liepen met hem mee naar het huis van Bol. Ze belden aan, klopten op de deur, maar er kwam geen reactie.
'Ze hebben natuurlijk gezien dat wij het zijn,' zei Patrick. 'Ik heb in elk geval thuis ergens een verkeersbord liggen met 30 erop. Dat zal ik morgen aan het begin van onze straat neerzetten.'
'We wachten gewoon even, want het bezoek blijft nooit lang,' zei Annets man. 'Nooit langer dan tien minuten.'
Hij had gelijk. Al snel ging de voordeur open en kwam er een jongeman uit. Hij droeg pikzwarte kleren en een pet, zodat zijn gezicht amper te zien was.
'Wacht even,' zei Patrick tegen hem, maar hij deed of hij doof was en liep door naar zijn auto. Patrick kon hem niet tegenhouden en voor hij het doorhad, was de auto verdwenen. Ondertussen waren Jan-Jakob en de man van Geertje op de voordeur afgelopen.
'Hoi, buurman,' zei Jan-Jakob. Dat was alles wat hij kon zeggen. Het volgende ogenblik keek hij tegen een hermetisch gesloten deur aan. Ze hoorden hoe de grendels ervoor geschoven werden aan de binnenkant.

HOOFDSTUK 7

De volgende dag, zaterdag, bleek dat het 's nachts geregend had. Er lagen nog kleine plasjes water, maar verder was het alweer droog.
'We hebben geboft gisteravond,' zei Milly. 'Anders was de straatbarbecue aardig in het water gevallen.'
Jan-Jakob haalde zijn schouders op. 'Zelfs zonder regen, is-ie ergens toch wat in het water gevallen.' Hij doelde op het onprettige en onvoldane bezoek aan de nieuwe bewoners van Bol.
'Hoe dan ook, het is altijd prettiger dat het 's nachts regent dan overdag. De tuin kon het ook goed gebruiken,' zei Milly. 'Ik ga straks onkruid wieden. Kan ik meteen wat worteltjes trekken voor Ko. Dat zal Fay leuk vinden.'
Al leek het weer een mooie dag te worden, toch voelde Milly zich niet zo heerlijk als de dag ervoor. Ze had er niets op tegen als buren zo af en toe 's avonds herrie maakten, maar dat Jan-Jakob en de andere mannen zo onbeschoft behandeld waren, dat zat haar dwars. Ze moesten het immers met elkaar rooien in deze straat en natuurlijk hoefden ze niet met iedereen bevriend te worden, het zou wel prettig zijn als iedereen als normale, fatsoenlijke mensen met elkaar om kon gaan.
Gewapend met laarzen aan de voeten gingen Milly en Fay naar buiten. Jan-Jakob had voorgesteld dat hij in zijn eentje boodschappen zou doen en vertrok met de auto. Ze gaven eerst de kippen water en voer en zochten de eieren op, daarna boog Milly zich over de groentetuin. Terwijl zij onkruid plukte, voerde Fay worteltjes aan het konijn. Ze haalde hem graag uit zijn hok, maar

omdat Milly bang was dat het konijn zou ontsnappen door de ligusterhaag, had ze een tuigje voor het konijn gemaakt met een lange lijn, die ze aan een pin vastgemaakt had. Die pin drukte ze in de grond. Op die manier kon Ko een heel eind lopen, maar niet te ver en kon Fay met hem spelen en hem voeren. Het konijn kon zelf terug naar zijn hok, wat het soms ook deed. Dan deed Milly het tuigje af en het hok weer dicht en mocht Fay niet meer met hem spelen. 'Hij is moe,' zei ze dan tegen haar dochtertje, dat soms nooit moe leek. Ze kon al zelf schommelen en van taartjes bakken in de zandbak kreeg ze maar niet genoeg.
Milly glimlachte naar Fay en voelde zich opnieuw bevestigd in hun keuze. Ze hadden er goed aan gedaan hier te gaan wonen. Het meisje genoot, al fronste ze nu haar wenkbrauwen. Serieus keek Fay om zich heen. Milly wist waar het door kwam, want zij had het ook gehoord. Er blafte een hond. Op zich was dat niet vreemd. Er kwamen geregeld wandelaars langs met hun hond. Misschien dat ze die vroeger in de tuin van Bol uitlieten, had Milly weleens gedacht, of misschien waren ze gewoon nieuwsgierig. Deze keer echter leek het geluid van behoorlijk dichtbij te komen.
'Hond?' vroeg Fay.
Milly knikte. De hond blafte opnieuw en nu klonk het nog dichterbij. Zouden ze bij Bol bezoek met een hond hebben? Milly wilde, ondanks haar nieuwsgierigheid, niet door de haag gluren, want dat vond ze geen fraai voorbeeld voor Fay. Daarom ging ze verder met onkruid plukken. Tegen tien uur kwam Jan-Jakob terug met de boodschappen en waste Milly haar handen bij de buitenkraan. Ze ging de keuken in om koffie te zetten.

Nadat ze samen buiten wat gedronken hadden, pakte Milly de draadloze telefoon. 'Ik bel even naar huis,' zei ze, en ging in de huiskamer zitten. Jan-Jakob bleef buiten bij Fay.
'Mamma, met Milly. Heeft het bij jullie ook geregend vannacht?'
'Het regent nog!'
'Ha, wat grappig. Ik heb al een uur in de groentetuin gewerkt. Hier is het droog en af en toe komt de zon door de wolken heen. Gisteravond hadden we straatbarbecue en dat was reuze gezellig. Buurvrouw Cornelia had een bijzonder lekkere salade gemaakt. Er was volop eten, alleen hebben we een akkefietje met de buren gehad. En weet je wat grappig was? De man van Geertje, van nummer 5, werkt bij hetzelfde bedrijf als Jan-Jakob, maar dat wisten ze niet van elkaar. Zo groot is dat bedrijf. Hij werkt in ploegendiensten, dus ze werken bijna nooit tegelijk, maar het is toch wel frappant dat twee mensen uit dezelfde straat daar werken en dat ze het niet wisten van elkaar. Best grappig. Maar hoe is het met opa?'
'Opa was vanmorgen weer prima te spreken. Helemaal niets aan de hand. Ik snap die lui van het bejaardentehuis echt niet.'
'Maar staat hij nu ergens ingeschreven?'
'Ja, en de wachttijd is een halfjaar. Dat vond de directrice nog veel te lang, omdat hij te vaak geholpen moet worden met het eten, maar ik vertik het om opa in een tehuis te stoppen samen met andere mensen op één kamer! Maar hoezo: akkefietje met de buren. Vertel.'
'Ach, die twee jongemannen in het huis van Bol. Die zijn gewoon onbeschoft en dat is niet leuk. We zijn maar met zo weinig mensen in de straat.'

'Waren ze ook op de barbecue dan?' vroeg Babs.
'Nee, dat was misschien wel beter geweest.' En Milly vertelde van het voorval de avond ervoor.
'Pappa zit bij me en hoort je verhaal maar half, maar hij vindt dat je de kentekens moet opschrijven van die auto's die zo'n lawaai maken. Dan kan de politie ze bekeuren.'
'Hm dat is niet zo'n gek idee. Ik zal eens zien of we die vanuit huis zien kunnen. Ja, dan hebben we in elk geval iets om te melden als we ooit de politie nodig hebben. Bedank pappa maar voor de tip.'
Juist toen Milly de tuin weer in liep, blafte de onbekende hond opnieuw. Nu was het duidelijk dat het bij de buren vandaan kwam. Fay had het ook gehoord en gek als ze op dieren was, kwam ze overeind uit het zand. 'Hond?'
'Ja,' zei Jan-Jakob, 'maar niet hier. Blijf jij maar lekker spelen.'
Milly vertelde hem wat haar vader gezegd had en Jan-Jakob knikte instemmend. 'Dat is best verstandig. Het is natuurlijk geen bewijs. Door die nummerborden op te schrijven, kunnen we niet bewijzen dat ze zo hard reden, maar we hebben in elk geval iets om aan de politie te geven in noodgevallen. Eigenlijk wilde ik gaan doen of ik ze niet hoor, maar nummerborden opschrijven kan slim zijn.'
'Ik ga even weg,' zei Milly. 'Ik heb behoefte aan iets anders. Die lui van hiernaast zitten me dwars met hun reactie tegen jullie. Ik loop naar Patrick. Die wil immers Fay als model gebruiken. Eerst maar eens zien wat hij maakt.'
Ze liep de tuin uit, ging de straat op en stak over. Patrick woonde in een van de drie huizen aan de overkant van de straat. Het was

zo'n heerlijke straat, met grote huizen en ruime voortuinen. Alleen stak Patricks voortuin wel af bij de andere vergeleken. Het was goed te zien dat hij zijn tijd liever in andere dingen stopte en een keurig verzorgde voortuin niet tot zijn prioriteiten telde. De zon brak nu echt door en Milly zou zich gelukkig moeten voelen, toch voelde ze muizenissen in haar hoofd. Stomme buren, verzuchtte ze inwendig. Misschien was het bij Patrick gezellig en kon ze haar vrolijke bui weer terugvinden.
Ze zag geen bel op zijn deur, wel een bordje met *atelier achterom*. Dus liep ze om zijn huis heen. Ze zag Annet in haar tuin druk bezig met het ophangen van de was. Ze stak haar hand naar haar op, maar liep door naar een grote schuur waarvan de deur openstond.
'Milly, wat leuk dat je meteen komt!' Patrick begroette haar enthousiast.
'Ja, ik dacht, laat ik dat maar doen, anders schiet het er weer bij in.'
'Heb je zo'n druk bestaan dan?' Hij lachte. 'Dat moet niet, hoor. Je moet zorgen dat er altijd tijd is voor een beetje ontspanning.'
'Maar dat kost net zo goed tijd,' zei Milly meteen al een stuk opgewekter.
'Het was een groot succes, gisteravond, vond je niet? En Cornelia's salade was werkelijk uit de kunst.'
Milly knikte ja, maar was er met haar gedachten niet meer bij. Ze keek verwonderd om zich heen. Aan de ene kant stonden beelden, uitgestald op een lange tafel. Aan de andere kant lag alleen maar rommel. Rotzooi was het. Inderdaad afval. Maar de beelden, als ze ze zo mocht noemen, waren zeker bijzonder.

Hij volgde haar blik en liep monter op de tafel af. 'Deze zijn klaar en te koop,' zei hij. 'Wat vind je ervan?'
Milly had niet direct een antwoord klaar. Ze wist niet goed wat ze ervan moest denken. 'Ze zijn mooi en raar tegelijk,' zei ze eerlijk.
'Hè, hè, eindelijk eens iemand die zegt wat-ie denkt,' zei Patrick waarderend. 'Ga door. Doen ze je iets?'
Milly aarzelde. 'Ja, ze geven je een bepaald gevoel. Ik kan het niet uitleggen. Dit bijvoorbeeld,' en ze wees naar een beeld van zo'n meter hoog, 'die geeft me een intriest gevoel.'
'Oeps, dat moeten we niet hebben. Zal ik koffiezetten?'
'Ik wilde je niet lastigvallen.'
'Dat doe je helemaal niet. Ik was niet aan het werk. Meer aan het opruimen en kijken wat ik nog voor spullen heb. Ik heb vanmorgen meteen dat verkeersbord met 30 vooraan de straat gezet, maar voordat ik dat gevonden had, was ik zoveel tegengekomen, waarvan ik niet meer wist dat ik het had, dat ik besloot om alles eerst maar eens te ordenen. Een kop koffie zou mij ook goed doen.'
'Oké.'
Hij liet haar alleen zodat ze op haar gemak kon kijken wat hij allemaal gemaakt had. Het waren, zoals hij gezegd had, abstracte kunstwerken. Het was moeilijk er iets in te zien. Was het een bankje om in de tuin te zetten? Was het een groep kabouters? Het kon van alles zijn, maar net zo goed niets. Dat het van afval gemaakt was, was niet zo te zien. Het was in dat geval goed bij elkaar gezocht. Alles wat hij in het kunstwerk verwerkt had, was donkergroen. Of misschien had hij alles donkergroen gemaakt.

Ze vond het vreemde dingen, maar ze straalden iets uit. Dat vond ze opvallend. Van het ene werd ze vrolijk, van het andere verdrietig. Reuze knap om gevoelens bij een ander op te wekken met afvalmateriaal. Dat zei ze tegen hem toen hij met twee mokken dampende koffie het atelier weer binnenkwam.
'Dat zie ik als een compliment. Dank je. Alle kunstwerken zijn behandeld, zodat ze ook buiten in de regen kunnen staan. Als er iets van je gading bij is ...'
'Ik vind ze echt heel bijzonder en ze doen me inderdaad wat, maar zelf houd ik toch meer van voorwerpen die iets voorstellen, zodat je meteen kunt zien wat het is.'
'Tja, als je hiernaar kijkt, moet je je fantasie gebruiken. Veel mensen willen of kunnen dat niet. Gelukkig zijn er nog steeds mensen te vinden die mijn kunst wel mooi vinden.'
'Ik zei niet dat ik het niet mooi vind, maar ik wil ze niet in huis,' gaf ze maar eerlijk toe.
'Dat mag,' zei Patrick vergenoegd. 'Ieder zijn meug. Zelf vind ik het leuk dat je juist niet kunt zien wat het voorstelt.' Hij liep op het grootste voorwerp af. 'Dit, bijvoorbeeld, kan een bankje zijn, maar tevens een groepje trollen. Mijn bedoeling is om de kijker te inspireren en te stimuleren. Laat je hersens eens gaan, probeer je fantasie eens uit. Als je het uitgebreid bekijkt, zie je hier nog veel meer in. Misschien raak je wel nooit uitgekeken. Dat is wat ik wil maken. Dingen, waar je niet op raakt uitgekeken, waarin je steeds weer iets nieuws ontdekt. Kijk,' zei hij en zette zijn mok neer op de tafel, waar ook een koektrommel stond, 'als je een kabouter in je tuin zet, zie je een kabouter en die kabouter staat er elke dag. Hij doet niets, hij verandert nooit, het is altijd dezelfde

kabouter. Daar houd ik dus niet van. Koekje?' Hij hield haar de trommel onder de neus en ze nam er een kletskop uit. Ze lachte.
'Past precies bij jou, nu je eenmaal op je praatstoel zit.'
'Zeg, eh, gaan we ruzie maken?' Hij knipoogde naar haar.
'Misschien moet je creatief zijn om zoiets te kunnen waarderen,' zei ze.
'Of misschien maakt het je creatief door ernaar te kijken,' wierp hij tegen. 'De voorwerpen doen je immers iets. Je zei zelf dat je van die ene triest werd.'
'Dat is zo.'
'En dat is exact wat ik wil. Een gevoel in mijn voorwerpen leggen. Zodat het iets oproept. En daarin ben ik bij jou geslaagd.'
'Klopt.'
'Jammer dat je Fay niet meegenomen hebt, dan had ik nu een serie foto's van haar kunnen maken. Ik wil graag haar glimlach, haar spontaniteit en naïviteit vastleggen om te kijken of ik dat ontwapenende aan een voorwerp mee kan geven.'
'Toch niet van een foto?'
'Nou ja, ze mag hier ook weken lang elke dag een paar uur komen zitten, maar dat wilde ik haar juist besparen.'
'Maar de glimlach van een kind van een foto in een voorwerp,' zei Milly weifelend.
'Ken je Santiago Calatrava?' vroeg Patrick.
'Nee, sorry.'
'Geeft niets,' zei Patrick geruststellend. 'Het is een Spaanse architect en hij is best beroemd, maar dan moet je al in gebouwen geïnteresseerd zijn. Hij staat erom bekend dat hij het menselijk lichaam gebruikt voor zijn gebouwen. Dat klinkt vreemd, maar

het is wel waar. Als je het weet, zie je het ook. Hij heeft prachtige gebouwen gemaakt en bijna iedereen vindt ze direct mooi. Dat komt doordat ze er iets menselijks in herkennen, al kunnen ze het in eerste instantie niet aanwijzen. In Malmö, in Zweden, staat een wolkenkrabber en die heet Turning Torso. De romp van een mens dus. Hij heeft een foto van een gespierde man genomen, hij heeft op de computer het vlees weggesneden en de romp gedraaid en dat is een gebouw geworden. Als ik het zo zeg, geloof je me misschien niet, maar als je er staat en ernaar kijkt, zie de ribben en de spieren. Het is niet zo dat je mijn werk met dat van hem kunt vergelijken, het was meer als voorbeeld bedoeld. Ik probeer iets van wat een mens uitstraalt, uit te beelden. Maar omdat ik er lang over doe, neem ik liever foto's dan dat ik iemand elke dag model laat staan.'

'Hm.'

'Zie je dat beeld daar? Wat denk je als je het ziet?' vroeg Patrick olijk.

Milly keek en keek, hield haar hoofd scheef en keek nog eens.

'Het is moe.'

'Oké, zie je wel dat je het ziet. Het stelt mijn opa voor, al zie je er totaal geen mens in, maar het heeft de uitstraling van mijn opa. En jij zag het!' Patrick glunderde.

'Leeft hij nog?' vroeg ze.

'Nee, hij is vorig jaar overleden. Hij is drieënnegentig geworden, dus we mogen niet klagen.'

'Drieënnegentig? Hoe oud ben jij dan?' vroeg Milly verbaasd.

'Ik ben vast tien jaar ouder dan jij en mijn opa is tien jaar jonger.'

'Ik ben zesentwintig, maar mijn ouders zijn erg laat getrouwd.

Mijn moeder was al veertig geweest toen ze me kreeg.'
'Dan is jouw moeder ouder dan de mijne,' stelde Milly vast. 'Mijn opa leeft nog, maar hij is dement aan het worden.'
'Dat is ons gelukkig bespaard gebleven. Dat lijkt me zo erg. Nee, mijn opa was helder tot aan de dag dat hij stierf. Ik had het geregeld met hem aan de stok over de politiek.' Patrick lachte. 'Hij stemde op een andere partij dan ik, maar hij wist heel goed waar het om draaide en hij wist ook precies hoe al onze ministers heetten. Beter dan ik dat weet.'
'En toch moe.' Milly keek weer naar het kunstwerk.
'Vind je het gek? Drieënnegentig. Dan mag je moe zijn.'
'Je hebt gelijk. En je oma?'
'Die leeft nog. Binnenkort wordt ze negentig.'
'Wat zal zij je opa missen. Zo veel jaren samen.'
'Precies. Het verbaast ons dat ze er nog is. We dachten dat ze zonder hem niet verder kon, maar ze woont zelfs nog op zichzelf. Bijna niet te geloven. Mijn moeder gaat elke dag naar haar toe en doet de boodschappen en wat huishoudelijk werk, maar zelf stoft ze nog af en geeft ze de planten water en ze kookt ook voor zichzelf.'
'Geweldig, zeg. Sterke mensen, dat voorgeslacht van jou. Maar over huishoudelijk werk gesproken. Ik moet dringend strijken en ik wilde vandaag appelmoes maken. Er lagen zo veel appels op de grond.'
'Lekker, maar Milly, ik meen het, ik hoop dat je een keer langskomt met Fay.' Hij stapte op haar af en legde even zijn hand op haar arm.
'Ik zal erover denken.'

'Fout antwoord,' zei hij hoofdschuddend en kneep in haar arm. 'Je moet gewoon ja zeggen. Ik wil haar op de foto zetten.'
Ze trok een grimas naar hem en trok haar arm los. 'Hoi!' zei ze en weg was Milly. Ze hoorde dat Annet in de buurtuin haar riep, maar ze deed alsof het niet tot haar doordrong. Ze moest dringend naar huis. Ze voelde zich plotseling zo vreemd, zo raar. Was het normaal dat een man van zesentwintig per se een serie foto's wilde maken van een meisje van ruim drie? Oké, hij was kunstenaar en ze zou Fay zeker niet alleen bij hem laten, maar ze kreeg een naargeestig gevoel van dit bezoek. Waarom moest hij zo nodig die foto's hebben? Had hij een afwijking die ze niet eens in haar gedachten uit wilde spreken? Kwam het door zijn hand op haar arm of lag het aan de mannen van Bol dat ze zo onberedeneerd achterdochtig geworden was? Ze wist het niet, maar ze voelde zich opeens niet langer op haar gemak bij hem en vluchtte nu naar huis, waar Jan-Jakob en Fay waren en waar ze zich geborgen en veilig voelde.

HOOFDSTUK 8

‘Over vier weken komen we al,’ zei Kitty tegen Milly door de telefoon.

‘Ja, september is al bijna weer voorbij.’

‘Heb je nog geen spijt dat je naar Meederveld verhuisd bent?’

‘Echt niet! Het is hier zo heerlijk. Ik verheug me er trouwens erg op dat jullie komen. Hier is ruimte voor jullie. Genoeg kamers en bedden en buiten kunnen de kinderen zich prima vermaken.’

‘Alleen jammer dat ze niet meer op het terrein van Bol kunnen spelen,’ vond Kitty.

‘Dat is zo en ze moeten het ook niet proberen. Ze hebben daar een hond en ik vertrouw hem voor geen cent. Hij ligt de hele dag aan een ketting, die ze vastgemaakt hebben aan een boom. Het is weliswaar een lange ketting, maar ik vind het zielig. Hij wordt nooit uitgelaten. Volgens mij doet hij al zijn behoeften rond die boom. En ik ben bang dat hij er vals van wordt. Het is een herder en die kunnen heel lief zijn, maar gemakkelijk vals worden, heb ik weleens gehoord. Als ze ’s avonds bezoek krijgen, horen we eerst een auto door de straat scheuren en vlak daarna die hond blaffen en grommen. Ik zou in elk geval niet bij hem in de buurt durven komen.’

‘Heeft dat verkeersbord van die Patrick niet geholpen?’

‘Joh, dat zien ze in het donker niet eens en trouwens, ze trekken zich nergens wat van aan.’

‘Zijn het steeds dezelfde bezoekers?’

‘Nee, we hebben al een stuk of acht verschillende auto’s gezien.’

‘Zitten jullie te gluren?’ vroeg Kitty ongelovig.

'Ja, soms doen we dat. Ik vind het prima dat ze bezoek krijgen, zelfs wel 's avonds laat of midden in de nacht, maar we schrikken er elke keer weer van. Het is hier zo stil en dan opeens die herrie van een brommende motor, die ook nog eens enorm moet afremmen omdat hij er al is. Gewoon niet leuk meer. Dus gingen we kijken wie dat deed, maar we zien nooit mensen, daarvoor hebben we vanuit de huiskamer geen goed zicht. Maar ze blijven altijd maar zo kort dat ik het behoorlijk verdacht vind.'
Dat ze inmiddels drie nummerborden hadden kunnen noteren, zei ze maar niet. Als Kitty het vreemd vond dat ze gluurden naar de bezoekers van de buren, zou ze het misschien helemaal vreemd vinden als ze ook nog de kentekens opschreven.
'Verdacht?'
'Ja, wat doen ze daar 's avonds laat en waarom zo kort? Ze komen volgens mij iets halen, maar wat?'
'Drugs?' stelde Kitty voor.
Milly zweeg even en zuchtte. 'Dat dacht Jan-Jakob ook.'
'Zie je wel?'
Milly knikte peizend, maar dat kon Kitty niet zien.
'En? Bellen jullie nu de politie?' vroeg Kitty.
'Nee.'
'Joh, dat moet je wel doen. Je kunt toch geen drugshandel naast je hebben. Denk aan Fay.'
'Wat heeft die ermee te maken?' vroeg Milly verbaasd.
'Nou ja, ik bedoel ... Dat moet je melden. Je kunt anoniem naar de politie bellen. Je hoeft je naam niet te zeggen.'
'Jan-Jakob en ik hebben besloten dat we voorlopig niets doen. Op zich hebben we geen last van de buren. Ze hebben ons niets

gedaan. Het zijn alleen hun bezoekers. Als we de politie erbij halen, krijgen we misschien juist trammelant. Bovendien wonen hier meer mensen. Die zijn het gewend in actie te komen als er iets vreemds gebeurt. Laten zij maar bellen.'
'Hm, tja ...'
'Kitty, ik wil het er niet meer over hebben. Ik word er al naar genoeg van. Hoe is het met opa?'
'Tja, niet goed. Hij wordt steeds waziger en steeds minder aanspreekbaar.'

Ruim twee weken later belde Kitty naar Milly. 'Meid, het spijt me zo, maar we komen volgende week niet naar jullie toe.'
'Hoezo niet?'
'Simons moeder moet dinsdag geopereerd worden.'
'Joh, wat naar. Wat heeft ze?'
'Iets met haar lever. Ze moeten het wegsnijden. Er zijn geen uitzaaiingen.'
'Geen uitzaaiingen? Heeft ze kanker dan?'
'Daar komt het wel op neer.'
'Joh, vreselijk.'
'De dokter zei dat het meeviel. Ze was er vroeg bij en het is goed te behandelen. Maar het is heel eng. Ik wil haar graag bezoeken en ik wil mijn schoonvader niet alleen laten. Die man is niet zo handig in huis zoals bijvoorbeeld Jan-Jakobs vader. Hij kan volgens mij nog geen ei bakken. Het spijt me echt, want ik had me er erg op verheugd, maar we moeten het uitstellen.'
'Voor jouw kinderen is het ook niet leuk dat ze hier niet komen. Kun je ze niet brengen?'

'Dat is te ver. Nee, we komen gewoon een andere keer,' hield Kitty vol.
'Oké, prima. Ik wens jullie sterkte. Zeg dat ook tegen Simon, wil je?'
'Doe ik.'
Verbouwereerd legde Milly de telefoon weer neer. Plotseling had ze een hele vrije week voor zich, want natuurlijk had ze vrij genomen van haar werk. Zelfs Jan-Jakob had drie dagen vrij genomen. Ze had juist 's morgens de bedden in de logeerkamer en op zolder al opgemaakt. Dat was op zich niet erg. Die konden zo blijven staan voor een volgende keer. Maar het was een vreemd idee dat ze ineens geen gasten zou krijgen, maar wel vrij was. Ze moest Jan-Jakob meteen maar bellen. Als het druk was op zijn werk, hoefde hij niet meer per se vrij te nemen.
Ze belde hem op en vertelde wat Kitty haar gezegd had.
'Wat jammer,' zei hij. 'Ik had me er nogal op verheugd. Maar het is eigenlijk best prettig, want ze hebben net voor woensdag een belangrijke vergadering afgesproken. Daar kon ik dus niet naartoe, omdat ik dan vrij had, maar ik zal direct melden dat ik toch kan. Dat vind ik zelf ook fijn, want het heeft alles met mijn afdeling te maken. Lief dat je meteen belde.'
'Oké. tot vanavond!'
Milly wierp een blik in de tuin en zag Fay zitten. Ze was alweer taartjes aan het bakken en probeerde er een aan Ko te voeren, die duidelijk liever worteltjes at. Ze glimlachte en liep naar boven om de was vast te sorteren en de wasmachine te vullen. Ze liet de machine altijd 's nachts draaien, omdat dat ze nachtstroom hadden, maar als ze hem nu vulde, hoefde ze dat vanavond niet meer te doen.

Daarna ging ze terug naar beneden. Vanuit de keuken zag ze dat Fay nog steeds bezig was Ko zand te voeren. Moest ze er iets van zeggen? Ach, nee, dacht ze. Ko is zelf wijs genoeg om te weten wat hij eet. Ze besloot vast met het eten te beginnen, dan konden ze direct eten als Jan-Jakob thuiskwam en kon Fay bijtijds naar bed. Morgen was het immers donderdag en moest ze weer vroeg op en mee met haar vader naar het werk.
Milly draaide zich om naar de keukenkast om een pan te pakken, maar ze verstijfde in haar beweging. Van buiten kwam een hartverscheurend gegil. Fay! Milly wist niet hoe snel ze in de tuin moest komen. Daar stond Fay, ze gilde nog steeds en was niet in staat iets te zeggen.
'Meisje, wat is er?' vroeg Milly bezorgd en angstig. Ze nam haar in de armen en streelde haar over het hoofd.
'Au!' snikte Fay, 'Au!'
'Wat doet er zeer dan?'
'Au!' zei ze opnieuw, en trok zich los uit Milly's armen en wees op haar rechterbeen.
Milly keek er met grote ogen naar. Er sijpelde bloed door de broek heen. 'Ben je gevallen? Fay, wat is er gebeurd?'
'Au!' zei ze alweer, alsof ze niet in staat was andere woorden te zeggen.
Milly tilde haar op en droeg haar naar de keuken. Ze zette haar op de tafel en trok de broek naar beneden. Ze schrok enorm van wat ze zag. 'Fay! Vertel wat er gebeurd is!'
'Hond,' zei ze.
Dat kon kloppen. Milly zag de volledige afdruk van een gebit in haar beentje en uit elk gaatje kwamen druppels bloed. Maar

hond? Waar kwam die hond vandaan? 'Welke hond, Fay? Waar was die hond.'
'Bol,' zei ze.
'De hond van Bol?'
'Au!'
Het was toch niet waar? Was de hond van de buren hun tuin in gekomen? Milly voelde zich woest worden, maar wist dat ze Fay daar niet mee hielp. Lieve help, wat een toestand. Gebeten was ze zeker, maar door wie? Ze haalde eens diep adem en probeerde zichzelf te kalmeren. 'Fay,' zei ze zacht, maar duidelijk, terwijl ze het meisje optilde en op schoot nam. 'Fay ... Wacht, je krijgt wat drinken.'
Daar kalmeerde het meisje inderdaad wat van en uiteindelijk was ze in staat te vertellen wat er gebeurd was. 'Ko wilde geen taartje en toen kwam de hond en ik gaf hem een taartje en hij hapte in mijn been.'
'Kwam de hond zomaar in onze tuin, Fay?'
'Ja! Het doet zeer!'
'Dat geloof ik graag.' Milly streelde voorzichtig haar been, maar zorgde er wel voor dat ze de wond niet aanraakte. 'Mamma zal er een verbandje om doen en dan gaan we naar de dokter.'
Milly nam haar mee naar de badkamer, pakte een stuk verband en rolde het voorzichtig om haar been. Vervolgens ging ze weer naar beneden en belde hun huisarts in Delfzijl op, die ze aan hadden gehouden omdat er in Meederveld geen huisarts was. Hij kwam gelukkig zelf aan de telefoon en ze vertelde wat er gebeurd was.
'Heb je een auto?' vroeg de arts.

'Ja, maar kan ik nú komen?'
'Je móét nu komen. Ik wacht op je.'
Milly tilde Fay in de auto. Het meisje huilde niet meer, maar ze zag erg bleek. 'We gaan naar de dokter. Die zal er een mooi verband om doen,' zei ze zo rustig mogelijk, maar inwendig kookte ze van woede. Hoe had dit kunnen gebeuren?
De huisarts keek Fay vriendelijk aan en tilde haar op de onderzoeksbank. Hij haalde het verband weg en zei: 'Dat was een stoute hond, Fay!'
'Au!' zei ze boos.
'Heb je de wond niet schoongemaakt?' vroeg hij aan Milly, terwijl hij handschoenen aantrok.
'Ik wist niet wat ik moest doen.'
'Je bent in elk geval direct gekomen. Ik zal de wond schoonmaken. Hoe oud is ze precies?'
'Net iets ouder dan drie en een halfjaar.'
'Dan heeft ze de revaccinatie nog niet gehad.'
'De wat?'
'Ik ga ervan uit dat ze de gewone prikken op het zuigelingen- en kleuterbureau gehad heeft?'
'Ja, natuurlijk.'
'Maar de vervolgvaccinatie heeft ze nog niet gehad. Die krijgen ze meestal rond hun vierde, maar Fay krijgt vandaag al een tetanusspuit. Ik zal de wond eerst verbinden. Als jij haar daarna een beetje afleidt, merkt ze er weinig van. Je mag haar ook wel op schoot nemen.'
Fay keek geïnteresseerd toe naar wat de dokter deed. De pijn leek al afgezakt, want ze gaf geen krimp terwijl hij de wond schoon-

maakte en een verband aanlegde. Daarna zette hij haar bij Milly op schoot en terwijl zij van alles tegen Fay zei, gaf de arts haar de injectie. Ze had niet door wat er gebeurde, maar zei opeens: 'Au!' Ze keek kwaad naar de dokter, maar die keek vrolijk terug. 'Je bent een grote meid, hoor, en we zijn klaar!'
Hij keek Milly aan. 'Houd haar en de wond in de gaten. Hij was niet diep, dus vermoedelijk valt het mee, maar als ze koorts krijgt of er verschijnt een rode verkleuring rond de wond, moet je direct weer contact met me opnemen.'
'Dat zal ik doen,' zei Milly en ze kwam overeind. Ze droeg Fay in haar armen.
'Weet je welke hond het was?' vroeg de arts.
'Het moet de hond van de buren geweest zijn. Ik heb het niet gezien, maar dat kan niet anders en Fay zei dat ook.'
'Dan moet je ze er maar op aanspreken of desnoods de politie bellen. Dit kan zomaar niet.'
'Oké, bedankt dat ik direct terechtkon.'
Op de terugweg werd ze steeds kwader op de buren. Ze waren te ver gegaan. Het was zielig voor de hond dat die altijd aan de lijn zat. Maar als ze hem loslieten, was dit het resultaat. Haar kleine meisje was gebeten door een hond die zeker net zo groot was als zijzelf. Misschien mocht ze blij zijn dat hij haar niet in het gezicht gebeten had, maar dit was al erg genoeg. Dit had niet mogen gebeuren! Het kon zelfs een trauma voor Fay opleveren voor de rest van haar leven. Stel dat ze altijd bang voor honden zou zijn, terwijl ze juist zo gek was op dieren. Stel dat Fay er nooit meer overheen kwam. Milly voelde zich trillen van woede en thuis aangekomen, tilde ze Fay uit de auto en liep met grote

passen naar het huis van Bol.
Dezelfde man als eerst keek door de kier naar haar. Hij bekeek haar van top tot teen en liet duidelijk zijn minachting voor haar zien. Hij droeg een wit hemd op een spijkerbroek en al was de kier niet groot, Milly zag een flinke tatoeage op zijn ene schouder. Door de benen van de man heen, keek de herdershond naar hen. Hij gromde onheilspellend van achter uit zijn keel en Milly voelde Fay verstijven in haar armen. 'Jouw hond heeft mijn dochtertje gebeten,' zei ze woest. 'Al zijn tanden staan in haar been en ze bloedde behoorlijk. We moesten ermee naar de dokter.'
'Wie zegt dat het mijn hond was?' zei hij onverschillig en deed geen enkele moeite de hond te kalmeren.
'Welke hond moet het dan zijn? Hij kwam uit jullie tuin.'
'Kan jij je kind niet beter in de gaten houden?' zei hij grijnzend.
Milly voelde zich nog kwader worden, maar wist dat dat niet zou helpen. De man was niet aanspreekbaar en trok zich nergens iets van aan. Er kwam een machteloos gevoel over haar. Ze deed een laatste poging: 'Als jij je hond niet op je eigen terrein kunt houden, zal ik genoodzaakt zijn stappen te ondernemen, zodat iemand anders ervoor zorgt dat jouw hond niet meer in onze tuin kan komen.'
'Waar haal je het lef vandaan mij te dreigen!' Hij keek haar fel aan. De hond voelde duidelijk dat er wat was. Die begon nog harder te grommen. Milly voelde Fay trillen in haar armen en had er spijt van dat ze het meisje meegenomen had.
'Ik bemoei me niet met jullie en jij hoeft je niet met mij te bemoeien.' Hij knalde de deur dicht en schoof de grendels ervoor. De hond gaf een schreeuw en Milly dacht dat hij geschopt werd

en van pijn schreeuwde.
Jan-Jakob werd minstens net zo kwaad, nadat hij het hele verhaal gehoord had. 'Ik bel de politie,' zei hij. 'Dit kan gewoonweg niet.'
Terwijl Milly in de keuken een portie macaroni uit de diepvries ontdooide, zat Jan-Jakob in de kamer en vertelde het verhaal door de telefoon. Fay zat aan de keukentafel en was bleek en stil. Ze wilde niet eten, en toen Milly voorstelde om haar naar bed te brengen, knikte ze.
Milly tilde haar op en bracht haar naar boven. Ze waste haar gezicht en legde haar in het ledikantje. 'Mamma laat de deur open, dan kun je me roepen als er wat is,' zei Milly. Ze pakte een boekje en las een verhaaltje voor. Normaal vond Fay dat een heerlijk moment, maar tot Milly's grote opluchting werkte het nu binnen twee minuten. Ze sliep.
Op haar tenen verliet ze de slaapkamer. Ook de huiskamerdeur liet ze openstaan.
'De politie komt straks,' zei Jan-Jakob.
'O, geweldig. Dus ze nemen het serieus?'
'Ja.'
Tegen acht uur kwamen er twee agenten. Ze wilden het hele verhaal horen. Jan-Jakob nam de gelegenheid waar en vertelde ook van de auto's die 's avonds laat voorbij kwamen scheuren. 'We hebben zelfs een paar kentekens opgeschreven,' zei hij. 'Willen jullie die hebben?'
'We kunnen er niets mee. Het is geen bewijs dat ze hard reden.'
'Maar we willen ze wel,' zei de andere agent.
'Waarvoor?' vroeg de eerste verbaasd. Hij was erg jong en Jan-Jakob had er bij voorbaat al geen vertrouwen in dat zijn bezoek

aan die lui van Bol effect zou hebben.
'We kunnen even kijken wie het zijn. Dat kan handig zijn om te weten.' Meer wilde de oudere agent niet kwijt.
De jongste hield zijn mond.
Jan-Jakob stak hun het briefje met de nummers toe. Hij had ze voor de komst van de agenten overgeschreven, want hij wilde ze zelf ook hebben. Uit pure nieuwsgierigheid of dezelfde auto's weer zouden komen.
Na een halfuur wisten de agenten alles en vertrokken ze. 'We gaan nu met de buren praten. Misschien valt het allemaal mee,' zei de oudste gemoedelijk. 'Vaak schrikken de mensen van ons, zodat ze na ons bezoek geen overlast meer veroorzaken. Jullie hebben er in elk geval goed aan gedaan ons te bellen, want loslopende, wilde honden kunnen levensgevaarlijk zijn.'
Milly liet zich zuchtend op de bank in de huiskamer zakken. 'Wat een afschuwelijke toestand. En dan komen Kitty en Simon ook nog niet en heeft Fay volgende week geen speelkameraadjes. Ik ben bang dat ze nooit meer in de tuin durft te spelen.'
Buiten hoorden ze een auto voorbijrijden. Het moest de politieauto zijn. Plotseling kreeg Milly het benauwd. Wat hadden ze eigenlijk gedaan? Hoe zouden de buren reageren op het bezoek van de politie? Ze hadden een grote stap gezet door de politie erbij te halen, maar wat zou de volgende stap van de buren zijn?

HOOFDSTUK 9

Fay durfde de eerste dagen niet meer buiten te spelen. Gelukkig genas de wond goed en kon ze haar been gewoon gebruiken, maar de angst zat er flink in. Ze wilde alleen nog maar buiten zijn als Milly of Jan-Jakob erbij was en bij elk geluidje bij de buren, verstijfde ze.

Het was fijn dat ze donderdag en vrijdag met Jan-Jakob mee geweest was naar de kinderopvang op zijn werk. Daar had ze voldoende afleiding. En in het weekend waren Milly een Jan-Jakob er allebei geweest. Dat gaf haar een beschermd gevoel. Toch zag ze nog bleek en stonden haar ogen flets en angstig.

Milly werd ook weer wat rustiger. Het hele weekend was er niets gebeurd en ze hadden de hond niet meer horen blaffen. Misschien had het inderdaad geholpen dat de agenten bij hen waren langsgegaan.

Maar nu hadden Milly en Fay een hele week van niets doen voor de boeg. Ze hoopte dat ze die goed doorkwamen. Maandagmorgen stofzuigde ze de kamer. Fay hielp met afstoffen. 's Middags gingen ze boodschappen doen in de supermarkt in Delfzijl. Ze maakten tegelijk van de gelegenheid gebruik om wat nieuwe kleren te kopen voor Fay, die best behoorlijk gegroeid was de laatste maanden. Ze begon er steeds meer uit te zien als een kleuter. Het peuterachtige verdween zo langzamerhand. Daarna namen ze lekker een ijsje. De zomer was allang voorbij, maar erg koud was het nog niet en Fay lustte elke dag wel een ijsje.

Het was heel gezellig, maar Milly voelde op de terugweg haar handen trillen. Ze was zenuwachtig, want ergens wist ze dat de

buren zich zouden wreken op het bezoek van de politie. 'Zullen we straks Ko wat lekkers gaan geven?' stelde ze voor. Fay antwoordde niet en Milly wist, dat ook zij zenuwachtig was. Zenuwachtig en bang. Bah, wat een narigheid. Milly zou er in elk geval voor zorgen dat ze voortdurend bij Fay in de buurt zou zijn als ze buiten was. Ze zou haar voorlopig geen seconde meer alleen laten.
Meteen toen ze hun straat in reed, merkte ze dat er iets niet in orde was. Patrick en Annet stonden samen op straat te praten, terwijl Annet normaal nooit om deze tijd buiten was. Die stond dan altijd al uitgebreid te koken voor haar en haar man. Ze staken hun hand naar haar op. Het leek of ze haar wilden aanhouden, maar Milly zwaaide alleen maar terug en reed door. Ze had nog drie huizen te gaan, en zag waarom de straat zo anders leek.
In de volle lengte van de tuin van Bol was een schutting geplaats. Zeker twee meter hoog. Zelfs het hele huis was aan het zicht onttrokken. Een grote, brede poort moest toegang geven tot het terrein. Het was werkelijk geen gezicht, vooral omdat de hele schutting uit oude pallets was opgetrokken, die kriskras tegen elkaar aan getimmerd waren. De schutting liep tot aan de ligusterhaag, die voorheen de scheiding vormde. Zag ze het goed? Liep de schutting ook verder, langs de ligusterhaag? Ze zette de auto op de oprit naast het huis, stapte uit en wilde om hun huis heen lopen, maar Cornelia riep haar.
'Wacht even,' zei Milly trillend van woede en liep door naar de andere kant van hun huis. Zo ver ze kijken kon, zag ze de schutting. Hij stak minstens een halve meter boven de ligusterhaag uit. Moesten ze daar nu elke dag tegenaan kijken? Ook vanuit de

tuin moest het vreselijk lelijk staan. Langzaam liep ze terug naar Cornelia. Ze was zo kwaad dat ze zin had de buurvrouw af te snauwen, maar gelukkig kon ze zich inhouden.
'Dat mag toch zeker niet?' zei Cornelia. Ze leek zich net zo op te winden als Milly. 'Dat keurt de schoonheidscommissie direct af,' mopperde ze.
'Dat hoop ik dan maar,' zei Milly. Verder wilde ze er niet over praten. Ze wilde niet laten zien hoe boos ze was en hoe machteloos ze zich voelde.
'Onze huizen zijn opeens niets meer waard,' klaagde Cornelia.
'Dat kan zijn, maar de hond kan er niet meer uit en dat is mooi meegenomen,' vond Milly. Ze trok Fays portier open en hielp haar bij het uitstappen.
'Hoezo?' vroeg Cornelia. Ze was vlak achter Milly gaan staan, die van haar schrok. 'Buurvrouw!'
'Ja, wat kan het schelen dat die hond er niet uit kan?'
'Die hond bijt,' zei Milly geërgerd en tilde de tas met boodschappen uit de auto. Ze wist wel dat ze het haar niet verteld had en dat Cornelia daarom niet kon begrijpen waarom ze zo kwaad was, maar ze voelde dat ze geen geduld had vandaag. 'Kom, Fay, we gaan naar binnen.' Ze duwde haar dochtertje de plastic tas met kleren in de hand en liep naar de voordeur.
Binnen ruimde ze de boodschappen op en legde ze de kleren op tafel, zodat Jan-Jakob ze straks kon zien. Ze zette koffie om wat rustiger te worden en gaf Fay een glas fris. Daarna begon ze met tegenzin aan het klaarmaken van het eten.
Na een halfuur kwam Jan-Jakob thuis. Met woeste stappen beende hij de keuken in. 'Wat is dat voor onzin? Ik ga naar hen toe.

Dit moeten ze weer afbreken.'
'Rustig, Jan-Jakob, houd je rustig. Met ruzie kom je geen stap verder.' Zelf was ze inmiddels wat gekalmeerd, omdat ze begreep dat ze met woede nergens kwam en alleen zichzelf maar had. Jan-Jakob echter liet zich niet kalmeren. Boos verdween hij naar buiten. Milly zag hoe hij in de richting van Bol liep. Ze zag ook hoe hij slechts enkele minuten later weer terugkwam. Het was duidelijk dat hij zijn boosheid niet kwijt was, maar dat hij nu nog kwader was.
De voordeur knalde in het slot. Fay schrok ervan en liep op Milly af.
'Ik heb nog nooit zulke onbeleefde mensen gezien,' riep Jan-Jakob meteen bij binnenkomst in de huiskamer.
Fay werd zo bang voor haar schreeuwende pappa, dat ze begon te huilen. Milly tilde haar troostend op.
'Ze stonden met zijn tweeën in de deuropening en zeiden dat ik me niet met hen moest bemoeien, dan bemoeiden zij zich ook niet met ons.' Hij sloeg met zijn hand tegen de deur, die dichtvloog en Milly voelde Fay trillen in haar armen. 'Laten we maar wat gaan eten,' zei ze zacht, in de hoop de sfeer in huis iets te veraangenamen.
Jan-Jakob begreep haar en haalde diep adem, draaide zich om en verdween naar de keuken. Daar hoorde ze hem met kastdeurtjes slaan en borden op de tafel kwakken.
'Is pappa boos?' vroeg Fay met een behuild gezichtje.
'Ja, maar niet op jou, hoor. Op die mensen van Bol.'
'Ik ook,' zei ze en dat maakte Milly aan het glimlachen. Ze liep met Fay naar de keuken, droogde haar tranen, waste haar handen

en zette haar aan tafel. De aardappels waren gaar en de sla was al gemengd. In de braadpan sudderden varkenslapjes, die ze de dag ervoor al had gebraden.
De maaltijd verliep behoorlijk zwijgend. Het was net of Jan-Jakob iets wilde zeggen, maar het niet deed.
Zodra Fay in bed lag, kon hij zich niet meer inhouden. 'Ze zeiden dat, als we ermee doorgingen hen dwars te zitten, we daar alleen onszelf maar mee zouden hebben. Ze zeiden dat een hondenbeet niets voorstelde en dat er Fay wel ergere dingen zouden kunnen overkomen.'
'Wat?' riep Milly geschrokken uit. 'Zeiden ze dat echt? Dat kan niet waar zijn. We moeten de politie bellen.'
'Waarom?' zei Jan-Jakob honend. 'Die doen toch niets. Een dreigement stelt namelijk niets voor en het is hun woord tegen het mijne.'
Milly kreeg nu ook zin om te huilen. Ze waren zo gelukkig in dit huis, maar ze zag er nu helemaal tegen op om de volgende dagen de hele dag thuis te moeten zijn. 'Waarom doen ze zo?' vroeg ze mat. 'Ik voel me gewoon niet meer veilig in mijn eigen huis!'
'Ons droomhuis,' voegde Jan-Jakob stil toe.

Die nacht sliep Milly bijzonder slecht, en ze had iets bedacht. 'Ik ga met de anderen in de straat overleggen,' zei ze de volgende ochtend tegen Jan-Jakob. 'Eens zien of we gezamenlijk stappen kunnen ondernemen.'
'Goed idee,' vond Jan-Jakob.
Zodra hij naar zijn werk was, de ontbijtboel opgeruimd was, de kippen en het konijn gevoerd waren, stapte Milly met Fay aan

haar hand naar het huis van Cornelia. Die was altijd vroeg op en had altijd zin in een praatje.

'Wat zeiden ze?' was het eerste wat ze vroeg toen ze Milly voor de deur zag staan. 'Jan-Jakob is toch naar hen toe geweest? Kom binnen, dan zet ik even koffie.'

Milly ging met Fay naar de huiskamer, waar de poppen al of nog op een stoel zaten. Fay liep er meteen op af. Na vijf minuten kwam Cornelia bij hen met een dienblad met kopjes koffie en een glaasje appelsap voor Fay. 'Nou?' Ze was te nieuwsgierig en wilde antwoord hebben voor ze zat.

'Ze vinden dat wij ze pesten en als we daarmee doorgaan, kan er veel meer narigheid gebeuren.'

'Veel meer narigheid?'

'Nou, Fay is immers al gebeten,' zei ze zo zacht mogelijk.

'Laten ze dat beest dan los in de straat?' vroeg Cornelia met grote ogen.

'Geen idee, maar we pesten ze helemaal niet. Zij pesten ons met hun herrie 's avonds laat en nu met die afschuwelijke schutting. Onze hele tuin is erdoor verknoeid!'

'Onze hele straat!' riep Cornelia geërgerd uit.

'Kunnen we er niet samen wat aan doen?' vroeg Milly. 'Misschien kunnen we met alle buren naar hen toe gaan en vragen of ze zich een beetje aan ons kunnen aanpassen.'

'Nou nee, dank je. Daar zit ik niet op te wachten,' zei Cornelia.

'Maar je ergert je toch ook aan die late auto's en aan de schutting?'

'Dat wel, maar om nou op ze af te stappen, dat gaat misschien net iets te ver.'

'Maar ze moeten weten dat niemand het leuk vindt en dat ze iedereen in de straat ergeren met hun gedrag.'
'Dat wel, maar nee, dat doe ik niet.'
Precies hetzelfde zeiden alle anderen. Zelfs de jongste van het stel, Patrick, wilde zich er verder niet mee bemoeien. Hij had één poging gewaagd, dat vond hij genoeg. Wel had iedereen de grootste praatjes over hoe slecht hun straat ervoor stond sinds die lui in het huis van Bol waren komen wonen en hoeveel hun huizen in waarde gedaald waren, maar niemand wilde met Milly en Jan-Jakob naar hen toe om ze op hun gedrag aan te spreken.
Het was zeer teleurstellend, vond Milly. Patrick durfde wel te vragen of ze even kon blijven voor wat foto's van Fay, maar dat had ze niet toegestaan. Ze had haar buik compleet vol van alle straatbewoners en wilde absoluut niet dat iemand een mooie foto van haar dochter had. Als ze niet achter hen stonden, konden ze allemaal de pot op.
Milly probeerde wat onkruid te wieden, maar blijkbaar liep de hond van de buren nu echt los in de tuin, want ze hoorde hem geregeld met zijn poot aan het hout van de pallets krabben en grommen. Het klonk zo dichtbij, dat Fay over haar hele lichaam begon te trillen en alleen maar met grote, angstige ogen naar de ligusterhaag keek, waarachter de pallets waren bevestigd.
'Kom,' zei Milly. 'We gaan naar de kinderboerderij.' Die lag niet ver van hun vorige woning in Delfzijl en sinds hun verhuizing waren ze er niet meer geweest, maar Fay herkende alles direct weer en uitgelaten liep ze op de geiten af. 'Geit!' riep ze blij en aaide het dier.
Het deed Milly gewoon pijn om te zien, want zo blij had ze de

vorige week nog in hun eigen tuin bij haar eigen konijn gekeken, maar nu waren ze beiden op de vlucht, weg uit hun eigen tuin, weg van hun huis.

'Zullen we donderdag nog eens naar de Waddenzee gaan of ben je dan niet vrij?' stelde Milly 's avonds voor aan Jan-Jakob, nadat ze Fay in bed gelegd hadden en Milly hem het resultaat verteld had van haar bezoek aan de buren.
'Zeker ben ik vrij, en vrijdag ook en ik vind het een goed idee!' zei hij enthousiast. 'De wind door de haren. Ergens een visje eten.'
'Precies.' Milly was blij dat hij zo geestdriftig reageerde, want voor haar was het voorstel een vlucht. Ze voelde het, wist het. Ze kon niet de hele week thuis zijn. Niet voor Fay, en niet voor zichzelf. Ze was geschrokken van die gedachte. Dit was hun droomhuis en ze wáren er ontzettend gelukkig geweest, maar nu voelde ze zich niet meer op haar gemak. Vooral niet in de tuin, maar zelfs thuis niet. Het gaf haar een machteloos gevoel, waar ze niets mee kon. Het ergerde haar voortdurend en ze dacht aan bijna niets anders. Gelukkig ging de telefoon. Ze zag dat het haar moeder was en lachte opgelucht. Even wat anders, even weg uit het kleine wereldje van hun straat. 'Hoi mamma, hoe is het?'
'Pappa en ik hebben bedacht dat we zaterdag en zondag wel bij jullie willen komen.'
'Echt waar? Mamma, wat een verrassing. Nou, het tweepersoonsbed is al opgemaakt. Jullie zijn van harte welkom!'
'Afgesproken dan. Tante Geerte heeft beloofd dat ze beide dagen naar opa toe gaat en je hebt gelijk dat het flauw is, dat ik dat eind

niet wil rijden. Je bent zo vol van het huis. Het wordt tijd dat wij het ook eens komen bekijken. We vertrekken zaterdagmorgen om halfnegen. Je kunt zelf uitrekenen wanneer je ons kunt verwachten,' zei Babs.
'Mamma, fantastisch. Je maakt me zo blij.'
Milly verheugde zich enorm. Eindelijk kon ze haar ouders laten zien hoe ze woonde. Ze had plotseling een paar leuke dagen in het verschiet. Donderdag met zijn drieën naar de Waddenzee, vrijdag waren ze ook met zijn drieën en zaterdag en zondag waren haar ouders er. Ze was benieuwd wat die van hun huis zouden vinden. Daar hoefde ze niet lang op te wachten. Met dat ze uitstapten, bromde vader: 'Die schutting! Ik begrijp niet dat jullie dit huis gekocht hebben. Het is werkelijk niet om aan te zien.'
'Ha, pappa, fijn dat je er bent.' Milly zoende hem uitbundig. 'Goede reis gehad?'
'Hm, veel te lang,' mopperde Babs.
'Maar jullie zijn er en binnen is de koffie klaar.'
'Het huis is prachtig,' zei moeder. 'Dat moet ik toegeven. Een mooi ouderwets, gezellig huis. Maar het is precies wat pappa zegt: die schutting.'
'Die staat er nog maar een paar dagen. Dus niet toen wij het huis kochten.'
'Ik zou er wat van zeggen,' vond Herman.
Jan-Jakob grijnsde en stak hem de hand toe. 'Kom binnen. Het waait behoorlijk.'
'Graag, want ik ben toe aan koffie,' zei Babs. 'En waar is Fay?'
'Die wacht op jullie in de keuken,' zei Jan-Jakob. 'Ze heeft een verrassing, vindt ze zelf. We hebben een taart gebakken en zij

heeft hem helemaal alleen versierd. Jullie moeten er iets van zeggen, hoor,' zei hij met een knipoog.
'Aha.'
Milly's ouders liepen keurend door de gang naar de keuken.
'Wat een ruimte. Meid, ik begin je toch een beetje te begrijpen,' zei Babs. 'Heerlijk om zo'n keuken te hebben. Fay, hier zit je. Kom eens bij oma!'
Het meisje liet zich gewillig begroeten, maar was niet zo enthousiast.
'Heb je nog pijn aan je been?' vroeg Babs, die het hele verhaal natuurlijk al van Milly gehoord had door de telefoon. 'Oma heeft een pakje bij zich.' Haar tas ging open en er kwam een cadeautje uit. 'Voor jou.'
'Ja, wacht even,' zei Herman. 'Word ik niet eerst begroet? Ha, lief meisje van me. Wat heb ik je lang niet gezien. Je bent gegroeid!'
Fay luisterde maar half. Ze was benieuwd wat er in het pakje zat en trok het papier eraf. Vragend keek ze naar het ding dat tevoorschijn kwam.
'Het is een telraam,' zei oma Van Berckel. 'Je kunt de kraaltjes verschuiven. Hoeveel jaar ben jij?'
Fay strak drie vingertjes op en oma schoof drie kraaltjes naar de ene kant. 'Kijk, zo veel jaar ben jij dus. Een, twee drie. En als je weer jarig bent, komt er een kraaltje bij. Een, twee, drie, vier. Weet je hoeveel kippen jullie hebben? Schuif zelf de kraaltjes maar naar de andere kant op de rij eronder.'
Samen schoven ze vijf kraaltjes naar links.
'En de haan nog,' zei oma. 'Wil je weten hoeveel jaar ik ben?'
Oma wees vijf volle regels van tien kraaltjes aan en op de volgden

schoof ze er acht opzij. 'Zo oud is oma. Veel, hè?'
'Dat telraam komt me erg bekend voor,' zei Milly.
'Het is inderdaad van jou geweest. Ik had het bewaard en het leek me leuk om het nu aan jouw dochter te geven,' zei Babs glunderend.
'Hoe gaat het op je werk?' vroeg Herman ondertussen aan Jan-Jakob.
'Pfff, dat je dat uitgerekend nu vraagt,' verzuchtte Jan-Jakob. 'We hebben woensdag een vergadering gehad en zoals elk bedrijf, moeten ook wij bezuinigen. Mijn afdeling ontkomt daar net zo min aan. Er moeten vier mensen weg en het ergste is, dat ík ze dat moet vertellen.'
'Tja, meneer Hoeks,' zei vader monter. 'Dat zijn de consequenties als je aan de top staat.'
'Oma Hoeks?' vroeg Fay opeens geïnteresseerd.
'Nee, meneer Hoeks,' zei opa Van Berckel.
'Oma en opa Hoeks,' zei Fay nadrukkelijk.
'Lieve help,' begreep Milly, 'ze weet niet hoe haar eigen achternaam is. Meisje, pappa heet ook Hoeks. Pappa Hoeks en ik ben mamma Hoeks en jij heet Fay Hoeks.'
Fay keek haar bedenkelijk aan. 'Niet oma Hoeks?' vroeg ze verward.
'Ja, oma Hoeks en opa Hoeks én Fay Hoeks.'
Met haar vingertje gleed ze langs de kraaltjes. Het was duidelijk dat ze zich dit nooit eerder gerealiseerd had. Milly stond op om nog eens koffie in te schenken.
'Ik kan me voorstellen dat je het moeilijk vindt,' ging vader door tegen Jan-Jakob. 'Ik heb het zelf ooit eens meegemaakt. Het is

niet de leukste kant van het werk, mensen ontslaan. Moet jij ze zelf uitkiezen?'
'Nee, of ja, eigenlijk ook weer wel. De directie heeft vier mensen uitgezocht van wie zij denken dat we die kunnen missen, maar een van hen wil ik beslist niet kwijt. Dat is iemand die bijzonder slim is en technisch gezien zelfs begaafd te noemen. Daarbij komt dat hij alleenstaand is en daardoor altijd inzetbaar. Ik heb veel steun aan die man. Tja, die anderen zijn getrouwd en hebben gezinnen. Die hebben het geld misschien harder nodig. Maar als ik puur zakelijk naar het bedrijf kijk, kan die vrijgezel gewoon niet weg. Die heb ik echt nodig. Dat vindt de directie prima, maar in dat geval moet ik zelf een ander uitkiezen om te ontslaan en ik zou werkelijk niet weten wie. En om het ronduit tegen iemand te moeten zeggen: we kunnen je niet meer betalen ...'
'Ja, dat is moeilijk, vooral omdat jouw baan niet in het geding is.'
'Precies. Het voelt niet eerlijk,' gaf Jan-Jakob toe.
'Maar het is wel eerlijk,' bemoeide Babs zich ermee. 'Jij hebt er hard voor gewerkt om aan de top te komen.'
'Alsof die anderen niet hard werken,' wierp Jan-Jakob tegen. 'Misschien zelfs harder. Alleen heb ik het voordeel dat ik met veel hersens geboren ben. Daar kan ik niets aan doen en zij kunnen er niets aan doen, dat ze minder intelligent zijn.'
'Ik wens je er sterkte mee,' zei Herman. 'Wanneer moet het gebeuren?'
'Ik wil er niet te lang mee wachten. Het is pas echt oneerlijk als ik het wel weet en de betrokkenen zelf niet. Dus maandag, dacht ik zo. Trouwens, heb jij nog steeds geen plannen om met de vut te gaan? Je bent bijna tweeënzestig, toch?'

'Pappa en met de vut?' bemoeide Babs zich ermee. 'Dan ken je je schoonvader niet.'
'Pappa is een werkezel,' was Milly het met haar moeder eens.
'Een workaholic,' verbeterde haar moeder haar.
'Is daar wat op tegen?' verdedigde vader zichzelf. 'Ik geniet elke dag van mijn werk. Ik zit nu veertig jaar bij dat accountantsbedrijf. Ik ben er helemaal mee vergroeid en ik zou niet weten wat ik de hele dag thuis moest doen. Ik vind het zelfs prima dat ze de pensioenleeftijd willen verhogen. Van mij mag het.'
'We zouden kunnen gaan reizen als je vrij bent,' zei Babs.
'Jij en reizen? Je vindt Meederveld nog te ver.'
'Nou ja, we zouden samen dingen kunnen ondernemen.'
'Ik weet zeker dat je het vreselijk zult vinden als je mij de hele dag over de vloer hebt. Dat kan straks nog lang genoeg. Nee, laat mij nou maar werken zolang het kan en zolang ik niet ontslagen word.'
'Hebben jullie al iets van Simons moeder gehoord?' begon Milly over een ander onderwerp. 'Ik heb twee keer naar Kitty gebeld, maar ze nam niet op.'
'De operatie is gelukt, heb ik begrepen,' zei Babs. 'Wat ze weggehaald hebben, zag er goed uit, maar is wel naar het lab gegaan. Dat is normaal. Dat doen ze altijd. Het betekent alleen wel dat ze op de uitslag moet wachten, en dat kan tien dagen duren.'
'Maar met zijn moeder gaat het dus goed. Dat is een opluchting,' vond Milly. Het was al erg dat het af en toe zo slecht ging met opa, maar die was de tachtig al gepasseerd. Simons moeder was veel jonger. Het zou echt erg zijn als hij haar nu al moest missen, dacht Milly. 'Kom, ik laat jullie de rest van het huis zien!'

Het enthousiasme dat moeder op kon brengen voor het huis, verdween in de tuin. 'Wat moet je met al die ruimte? Ja, het is natuurlijk leuk dat je een eigen zandbak en schommel hebt, maar verder? En het is hier zo stil! Je hoort alleen de wind maar waaien.'
'Dat is toch heerlijk, mamma, dat het zo stil is.'
'Je kunt jezelf horen denken,' zei ze geërgerd. 'Nee, dit is niets voor mij. Ik mis de stadsgeluiden, de auto's, de herrie. Ik mis zelfs de sirenes van politie en ambulance!'
'Dan zul je vannacht zeker lekker slapen,' bedacht Milly. 'Als er een auto langs komt scheuren.'

HOOFDSTUK 10

Ondanks dat de herfstvakantie goed verlopen was en het fantastisch was geweest dat Milly's ouders gekomen waren, voelden Milly en Fay zich niet meer op hun gemak in hun huis. Ze waren daarom steeds minder thuis. De angst dat Fay misschien iets zou overkomen, was zo groot en vrat zo aan Milly, dat ze steeds weer een smoes bedacht om niet thuis te hoeven zijn. Alleen liet ze haar al nooit meer buiten spelen, maar ook samen was het geen succes. Niet alleen Milly was bang voor wat er kon gebeuren. Fay deed niets anders dan naar de haag gluren, naar de schutting erachter en als ze de hond hoorde, verstijfde ze. Helaas hoorden ze de hond steeds vaker. 's Nachts kon hij huilen als een wolf. Blijkbaar moest de hond zichzelf zien te redden, net zoals de eigenaars deden, en mocht hij niet naar binnen als het avond werd. Milly en Fay bezochten op woensdag geregeld hun oude buurt, waar wel kinderen op straat speelden. Fay genoot daar zienderogen van. Jan-Jakob ging met haar naar de kinderboerderij als hij klaar was met zijn werk en haar ophaalde van de dagopvang, zodat ze later dan normaal thuiskwamen en Fay direct na het eten naar bed moest. Ook hij voelde instinctief aan dat het beter was het meisje zo min mogelijk overdag thuis te laten zijn.
Gelukkig werd het steeds vroeger donker, vooral omdat de wintertijd ingegaan was en over niet al te lange tijd zou het helemaal niet meer mogelijk zijn om na het eten buiten te spelen. Maar leuk was dit alles niet.
Op een nacht ging de hond zo te keer, dat niemand ervan kon slapen. Milly en Jan-Jakob hoorden Fay gillen in haar ledikantje

en ze haalden haar eruit en namen haar bij zich in bed.
'We zouden de politie moeten bellen,' vond Jan-Jakob. 'Dit is pure dierenmishandeling. Ze laten het dier volledig aan zijn lot over.'
'En dan?' vroeg Milly benepen. 'Ze begrijpen heus wel dat wij het gedaan hebben.'
Verder praten was ineens niet mogelijk, want er scheurde een auto voor hun huis langs die iets verderop met piepende remmen tot stilstand kwam.
Milly zuchtte en sloeg haar armen om Fay heen. 'Ik wil slapen,' zei ze nukkig.
Hij streelde zijn vrouw en zijn dochter alsof ze allebei kleine kinderen waren. Het werkte, hun ogen vielen eindelijk toe.
De volgende dag zag Jan-Jakob, toen hij thuiskwam van zijn werk, een van de jonge buurmannen op straat lopen. Dat was nog niet eerder gebeurd, en hij vatte moed. 'Ha, buurman,' zei hij zo opgewekt mogelijk, terwijl hij Fay in de auto liet zitten. Jan-Jakob stapte op hem af.
'Wat moet je?' vroeg de buurman.
'Die hond van jullie,' begon Jan-Jakob.
'Ik heb gezegd dat je je niet met ons moest bemoeien, dan zouden wij ons ook niet met jullie bemoeien.'
'Dat weet ik, maar je moet wat aan die hond doen. Ik weet niet waarom hij 's nachts zo jankt, misschien is hij ziek, maar dit kan niet.'
'Wat bedoel je met: kan niet?' De jongeman keek hem dreigend aan.
'Ik bedoel dat ik het zielig vind voor de hond.'

‘Die redt zich prima,’ siste de man.
Milly zag het door het raam gebeuren. Ze was bang dat het uit de hand zou lopen, want de houding van de jongeman nam steeds dreigender vormen aan.
Plotseling begon de hond te blaffen en te grommen.
‘Nu hoor je het zelf,’ zei Jan-Jakob. ‘Dat is niet normaal. Daar moet je iets aan doen. En als jij het niet doet, moet ik de politie wel bellen wegens dierenmishandeling.’
De jongeman greep Jan-Jakob bij zijn overhemd beet en trok hem naar zich toe. ‘Probeer het eens!’
Milly hield haar hart vast, maar tot haar opluchting zag ze dat de man Jan-Jakob losliet, zich omdraaide en woest wegbeende. Pfff, dacht ze, dat was goed afgelopen. Maar hoe was het mogelijk dat je zo bang kon zijn voor je eigen buurman? Nota bene in de rustigste straat van heel Nederland?
Jan-Jakob kwam kwaad binnen. Fay liep beteuterd achter hem aan. Ze had buiten de hond horen grommen en blaffen en was doodsbang.
‘Probeer het eens, zei hij,’ zei Jan-Jakob grimmig. ‘Dat zal ik doen.’ Hij liep op de telefoon af en belde de politie.
Die kwam juist nadat Fay in bed gelegd was lag. Het waren twee andere agenten, maar ze luisterden net zo aandachtig. Jan-Jakob vertelde ook weer van de vele nachtelijke bezoekjes van automobilisten die zich niet aan de snelheid hielden. Ze knikten instemmend.
‘Ja, ja,’ zei de ene. ‘We houden ze in de gaten.’
‘In de gaten?’ wierp Milly geërgerd tegen. ‘We zien jullie hier nooit. Dat zou ons moeten opvallen. Niemand ziet hier ooit een

agent, anders zeiden ze dat wel tegen ons. Vooral Cornelia, di...'
'Er zijn meer manieren om mensen in de gaten te houden,' viel de agent haar rustig in de reden.
Milly zweeg. Het was duidelijk dat hij niets wilde uitleggen.
'Maar we gaan nu naar hen toe om de hond te bekijken. Wees nou maar gerust. Die schutting is lelijk, dat hadden wij ook al gezien, maar ze hebben er toch iets op uit gedaan, toen ze de vorige keer werden aangesproken op hun gedrag.'
'Het is alleen maar erger geworden,' zei Jan-Jakob. 'We voelen ons hier niet meer prettig. Als ze Fay bedreigen, dan ... dan...' Hij wist niet wat hij verder zeggen moest. Zijn kleine meisje was hem alles. 'Ze moeten van haar afblijven,' riep hij.
'Meneer, wind u nu niet op.'
'Ja, jij hebt makkelijk praten. Jij woont niet naast zulke mensen.'
De agenten stonden op. 'We gaan naar ze toe. Het komt vast goed.'
'Ik heb nog nieuwe kentekens. Interesse?'
Een van de agenten nam het briefje aan, wierp er een snelle blik op en stopte het in zijn binnenzak. Hij deed het zo nonchalant, dat Jan-Jakob zich afvroeg of hij het er ooit weer uit zou halen. Misschien zou zijn vrouw het een keer vinden in de wasmachine, dacht hij grimmig, en dan was het natuurlijk onleesbaar. Opeens moest hij in stilte grinniken. Wie weet wat zijn vrouw dacht dat erop stond. Ha, dat kon nog spannend worden.
Milly liet ze uit en kwam beteuterd de kamer weer in. 'Ik geloof niet dat ze begrijpen hoe erg wij ermee zitten.'
'Je hebt gelijk dat het een belachelijke opmerking was,' vond Jan-Jakob, 'dat ze hen in de gaten houden. Hoe dan? Hebben ze er-

gens een camera verstopt of zo?'
Milly probeerde door het gordijn heen te gluren. Al na vijf minuten zag ze de agenten weer in hun auto stappen. 'Nou, dat zal een geweldig succes zijn,' mompelde ze. 'Wat staat ons nu weer te wachten?'
Gelukkig bracht de telefoon afleiding. Kitty belde op. 'Kunnen we met de kerstdagen komen? We hebben nog steeds zo'n zin om een paar dagen bij jullie door te brengen.'
'Als je wist wat hier allemaal gebeurde ...' verzuchtte Milly.
'Joh, daar sta je toch boven? Je trekt je toch niets van de buren aan?'
'Hoe doe je dat?' vroeg Milly. 'Hoe sta je daarboven?'
'Joh, nergens wat van aantrekken. Herinner je je ons buurmeisje dat elke dag een uur lang op haar dwarsfluit stond te oefenen. Het klonk altijd alsof ze bij ons in de kamer was. Een goed concert is nooit weg, maar al die oefeningen. Het was niet om aan te horen. En altijd precies als wij eens rustig wilden lezen of naar een mooie film wilden kijken. We hebben gevraagd of ze niet in een andere kamer kon gaan oefenen, zodat we er minder van hoorden, maar nee, ze ging gewoon door. Ik had het vermoeden dat haar ouders het wel leuk vonden dat wij er last van hadden. Dus zetten we de televisie altijd loeihard als zij haar fluit pakte. Zo hard, dat de buren er gek van werden. Op een dag hebben haar ouders haar blijkbaar naar een andere kamer gestuurd. We hoorden haar nog wel, maar niet meer alsof ze bij ons in de kamer was. We waren niet van plan om ons weg te laten pesten en dat moeten jullie ook niet doen!'
'Oké, prima, jullie komen in de kerstvakantie en dan vertel je me

maar hoe wij ons moeten gedragen.'

'Milly, je woont in je droomhuis! Dat mag je niet kapot laten maken!'

'Heb je nog wat aardigs te melden?'

'Meid, kom op. Waar is de vrolijke Milly die mijn zus is?'

'Die ben ik kwijtgeraakt, sorry.'

'Ik begrijp niets van jou. Als klein meisje wilde je al in de weilanden wonen. Nu woon je daar en ...'

'Kitty, het gaat niet alleen om mij. Of eigenlijk gaat het helemaal niet om mij. Het gaat om Fay. Als je haar ziet, begrijp je me wel. Ze is alle levenslust kwijt. Ze ziet bleek en angstig en wil niet meer buiten spelen. Gelukkig werkt het weer mee. Ik bedoel, het is buiten niet meer warm genoeg om lekker te spelen. Maar ze is bang. En dat is wat mij nekt.'

'Ja, als je het zo zegt, begrijp ik het wel. Ze is nog zo klein. Het is vreselijk dat ze bang is. Dat wil je niet, als moeder.'

'Precies. Trouwens, moeder. Hoe gaat het met Simons moeder?'

'Die is weer zo goed opgeknapt. Heel geweldig. Daarom kunnen we ook gerust weg tijdens de kerstdagen.'

'Fijn om te horen. Nou, jullie zijn welkom. Voor de kinderen is het misschien iets minder interessant dan het met mooi weer geweest zou zijn, maar we verzinnen wel iets om ze bezig te houden.'

'En wij verzinnen iets om je de buren te laten vergeten.'

'Dat zal vast niet lukken, Kitty, dat zul je zeker zelf merken en horen. Heeft mamma je niet verteld van die herrie 's nachts?'

'Nee?'

'Nou ja, voor haar was het misschien geen herrie. Ze vond het

hier te stil,' zei Milly schamper. 'Weet je, eergisternacht ...' Milly verzonk even in gedachten.
Kitty zweeg en wachtte af.
'Sinds ze die hoge schutting om hun huis hebben, kunnen hun nachtelijke bezoekers niet meer tot voor de deur rijden. De poort moet steeds voor hen opengedaan worden, dan pas kunnen ze het terrein op. Eergisteren kwam er weer zo'n gek aan scheuren. Ik begrijp werkelijk niet waarom ze met zo veel herrie door onze straat rijden. Ze moeten toch snappen dat het iedereen opvalt en dat er een keer naar de politie gebeld wordt wegens overlast. Het was halftwaalf! Wij wilden net naar bed. We hadden de lampen in de huiskamer al uitgedaan en waren in de gang om naar boven te gaan. Jan-Jakob liep snel de huiskamer in om door het zijraam te gluren.'
'Waarom doet-ie dat? Je moet je er juist niets van aantrekken,' vond Kitty. 'Zo wind je jezelf alleen maar nog meer op.'
'Jij zou dat ook doen als je hier woonde. Je zult het vanzelf horen als je hier slaapt. Of nog niet slaapt. Je gaat dan net zo goed gluren wat dat voor auto is, die zo belachelijk doet. In elk geval zag Jan-Jakob dat de auto voor de poort stopte. Hij had zijn koplampen natuurlijk aan en die schenen op de poort. Hij zag hoe de poort opengring en op dat moment kwam de hond wild blaffend af op degene die de poort opendeed. Jan-Jakob zag hoe de hond in het been van zijn eigenaar beet. Meteen was die andere jongeman die er woont erbij. Hij gaf de hond een schop. Het arme dier strompelde jankend weg.'
'Maar ja,' verdedigde Kitty de hond, 'als je je eigen baasje bijt.'
'Waarom denk je dat hij dat doet? Ze hebben hem zelf vals gemaakt. Logisch dat-ie niet meer te vertrouwen is. Maar dat ligt

niet aan de hond!'
'Oké, maar jullie is niets vervelends meer overkomen?'
'Gelukkig niet, nee. Gisteren en vandaag hoorden we de hond wel blaffen en grommen, maar het kwam steeds van dezelfde plek. Ik vermoed dat hij weer vastzit aan die boom van eerst.'
'Dat zou voor jullie in elk geval prettig zijn.'
'Ja, ik ben echt bang voor het dier en Fay helemaal. Ze speelt nooit meer buiten als ik er niet bij ben, en zelfs dan voelt ze zich opgejaagd, maar voor de hond vind ik het ook zielig.'
'Gaat Fay na de kerstvakantie naar school?'
'Inderdaad. We hebben bericht gekregen dat ze welkom is.'
'Dat is leuk. Krijgt ze misschien vriendjes en vriendinnetjes bij jullie in de buurt. In elk geval geeft het afleiding.'
Milly knikte.
Jan-Jakob was meteen enthousiast toen hij hoorde dat Kitty en Simon wilden komen, maar tijd om te praten kregen ze niet. De telefoon ging opnieuw. Het bleek Milly's moeder te zijn.
'Komen jullie deze kant op met de kerstdagen, Milly?'
'Mamma, heeft Kitty niet gezegd dat zij hierheen willen komen in de kerstvakantie?'
'Jawel, maar toch niet de kerstdagen?'
'Toch, mamma. Het spijt me dat je dat niet wist.'
'Kerst hoor je thuis te vieren,' mopperde Babs.
'Niet per se, mamma, en je weet best dat we niet elk jaar de kerstdagen samen doorbrengen.'
'Daarom juist had ik gehoopt dat jullie nu wel zouden komen. Bovendien leek het me prettiger voor jullie om even weg te zijn van die buren.'

'Dat is zo, mamma, maar aan de andere kant zou ik me niet kunnen ontspannen bij jullie, omdat ik me dan de hele tijd afvraag of ze soms iets uitspoken bij ons thuis. We denken nog na over oud en nieuw. Dat is korter en zijn we niet zo lang van huis.' Milly zuchtte zacht. Toen ze dit huis kochten, hadden ze zich verheugd om er alle feestdagen en alle seizoenen in mee te mogen maken. Nu wilde ze het liefst weg zijn tijdens vrije dagen. Het was prachtig dat Kitty kwam, dat gaf afleiding, maar die ging voor oud en nieuw weer weg. Hielden zij het vol in Meederveld tijdens de jaarwisseling? Ze had het geopperd, maar Jan-Jakob vond dat ze het huis niet alleen konden laten. Juist niet in die nacht, had hij gezegd. En daar had hij eigenlijk volkomen gelijk in. Stel dat ze vuurwerk hun kant uit schoten. Milly huiverde bij de gedachte.
'Maar vermoedelijk komen we niet,' voegde ze ietwat treurig toe.
'Jullie zijn hier natuurlijk van harte welkom.'
'Je weet hoe wij erover denken. Jullie wonen te ver. En we hebben het huis nu gezien.'
'Jullie zouden tante Geerte kunnen vragen voor de kerstdagen. Die heeft verder niemand, sinds ze weduwe is en haar enige zoon in Engeland zit.'
'Dat gaan we nu ook doen, nu ik weet dat jullie niet komen. En ik had bedacht dat we opa weleens hierheen konden halen. Al zou het maar voor een halfuurtje zijn. Hij is er even uit. Misschien doet het hem wel goed.'
'Mamma, wat een idee. Zie je, zo heb je niet eens tijd om aan ons te denken!'
Ze verbraken de verbinding en Milly vertelde Jan-Jakob van de twee telefoongesprekken. Ondertussen had hij een arm om haar

heengeslagen en dat vond ze zichtbaar prettig. Ze legde zelfs even haar hoofd op zijn schouder, maar haar gezicht stond somber, omdat bij alles de buren de boventoon voerden. Ze keek hem meewarig aan en kwam overeind, ging in de grote leunstoel zitten en deed de televisie aan. Jan-Jakob begreep het. Vanavond werd er – weer – niet gevrijd. Ze waren elkaar zo na gekomen en ze hadden het samen weer zo heerlijk gehad, maar sinds die hond Fay gebeten had ... Hij had er alle begrip voor, want hij wist dat ze zich moeilijk geven kon als ze zich opgejaagd en onrustig voelde, toch deed het hem verdriet. Ze liet voelen dat ze het fijn vond zijn armen om haar heen te hebben, maar weer trok ze zich terug, net als in de weken na de miskraam. Waren ze opnieuw terug bij af door die stomme lui in het huis van Bol?

Fays gezichtje lichtte helemaal op toen ze zag wie er de huiskamer binnenkwamen. 'Tante Kitty!' riep ze blij uit.
Milly haalde opgelucht adem bij deze reactie. Ze had Fay al diverse malen verteld wie er zouden komen logeren, maar het was alsof het niet tot haar doordrong. Van het levenslustige, spontane meisje was niet veel meer over. Ze leek eerder schuw en teruggetrokken en was bovendien erg schrikachtig geworden. Het deed Milly verdriet haar dochtertje zo te zien. Ze hoopte dat het bezoek van Kitty en haar gezin en daarna de basisschool verandering in haar gemoedgesteldheid zouden brengen.
'Wat fijn dat jullie er zijn,' zei Milly en sloot haar zus in haar armen. Ook de anderen werden uitgebreid begroet, al was het duidelijk dat Kitty's zoons een knuffel niet meer zo op prijs stelden. 'Ze worden groot,' verzuchtte Kitty met een weemoedige blik.

'Heb je koffie?'
'Wat een vraag. Ik ga het direct inschenken.'
'Wij gaan naar buiten, hoor!' riepen de jongens.
Kitty opende haar mond, maar sloot hem weer en liep achter Milly aan. 'Ik wilde tegen de jongens zeggen dat ze op het verkeer moeten letten,' zei ze lachend, 'maar dat is hier niet nodig.' Ze liet zich op een stoel zakken en keek tevreden rond. 'Je hebt een prachtige huiskamer, maar in de keuken vind ik het veel gezelliger. Dit is een ware droomkeuken, weet je. Zo ruim, met een ronde tafel in het midden. Hebben ze niet nog een huis te koop in deze straat?'
'Kitty! Meen je dat?'
'Ik wel, maar Simon niet. Die vindt dit geweldig voor een korte vakantie, maar hij wil niet weg uit Den Haag.'
Op dat moment klonk er een enorm geschreeuw en lawaai vanaf de straat. Milly schrok er zo van, dat ze de koffie naast het kopje goot.
'De kinderen,' riep Kitty en vloog overeind.
Gijs, de oudste van haar zoons, kwam schreeuwend op zijn moeder af. 'Die hond,' riep hij. 'Die hond, die ...' Verder kwam hij niet. Kitty keek vragend naar haar andere zoon.
'We wilden,' begon hij, maar maakte ook zijn zin niet af.
'Zijn jullie gebeten?' vroeg ze.
'Nee, nee,' snikte Gijs.
'Kom mee naar binnen.' Ze bracht de jongens naar de keuken, gaf ze een glas water te drinken en dwong ze te vertellen wat er gebeurd was.
'We wilden in de tuin kijken, net als de vorige keer,' begon Gijs.

'We duwden de poort open,' ging zijn broertje verder, 'en toen kwam die grote hond op ons af.'
'We wisten niet dat ze een hond hadden,' zei Gijs. 'Hij was zo groot en zo kwaad. Hij rende op ons af. Ik dacht, dacht ...'
'Dat hij ons zou opeten,' vulde zijn broertje aan. 'Maar dat kon niet, hij zat aan een lang touw. Hij kon net niet bij ons komen.'
'Daarna ging de voordeur open en kwam er een man naar buiten. Hij kwam op ons af en keek zo kwaad, dat ik dacht dat híj ons op zou eten.'
'We begonnen te gillen en renden ervandoor.'
'Hij kwam achter ons aan en greep Gijs bij zijn jack.'
Gijs begon weer te huilen. Hij trilde met zijn hele lichaam. 'Die man zei dat hij de hond los zou laten als we nog een keer in zijn tuin kwamen.'
'En dat doet hij ook,' voegde zijn broertje toe.
Gijs bibberde.
'Nou,' zei Simon, 'dan is er maar een oplossing: jullie komen niet in die tuin en om eerlijk te zijn, begrijp ik ook niet dat jullie die tuin zijn in gegaan. Er zat immers een poort voor.'
'Die hond is ziek,' zei Gijs nu.
'Ziek?' vroeg Milly benieuwd.
'Ja, hij heeft allemaal kale plekken op zijn lijf.'
'Hij ziet er heel lelijk uit. Lelijk en eng.'
'Dat had ik wel verwacht,' vond Milly. 'Ze slaan en schoppen het beest en wie weet, krijgt hij zelfs nooit te eten.'
Na de koffie liep Simon naar buiten om de auto leeg te halen. Ze hadden behoorlijk wat bagage bij zich voor de vijf dagen dat ze zouden blijven, want ze waren met drie kinderen en twee volwas-

senen. Toen hij voor de derde en laatste keer buiten bij de auto was, kwam een van de jongemannen van Bol door hun poort de straat op. Hij zag Simon bij de auto staan en stapte op hem af.
'Zijn die jongens van jou?'
'Ja,' zei Simon vriendelijk, al straalde de jongeman niets vriendelijks uit. 'Ik ben een zwager, mijn naam is Simon.' Hij stak zijn hand uit, maar die werd niet aangenomen.
'Als ze het nog een keer wagen in onze tuin te komen, stuur ik de hond op hen af. We hebben geen pottenkijkers nodig.'
'Je hebt helemaal gelijk,' gaf Simon toe. 'Ik heb ze inmiddels verboden in jullie tuin te komen.'
'Dan hoop ik dat je de wind eronder hebt, want ik meen elk woord.'
'Dat is duidelijk, maar eh ... Moet je niet eens naar de dierenarts met die hond?'
'Hoezo?' De ogen van de jongeman spoten vuur.
'Omdat hij er ziek uitziet, daarom.'
'Waar bemoei je je mee?'
'Dierenmishandeling is een misdaad,' zei Simon rustig.
De man greep hem bij zijn jas en trok hem naar zich toe. 'Voor jou geldt hetzelfde als voor die lui die hier wonen: als jij je niet met ons bemoeit, bemoeien wij ons niet met jullie en onthoud goed: onze hond heeft nog prima tanden!' Hij liet hem net zo abrupt los als hij hem vastgegrepen had, zodat Simon even wankelde en steun moest zoeken bij zijn auto. Tot zijn opluchting draaide de man zich om en stapte in de auto die juist door hun poort naar buiten kwam rijden. Samen met zijn vriend reed hij de straat uit.
Verbouwereerd bracht Simon de laatste bagage naar binnen. Hij

nam Jan-Jakob apart en vertelde hem het verhaal. 'Dit is wel dé kans om te kijken hoe het met de hond gesteld is,' zei Simon. 'Ze zijn nu allebei weg.'
'O nee, beslist niet,' zei Jan-Jakob. 'Ik ga daar niet de tuin in. Als ze erachter komen, hebben ze het recht ons de politie op het dak te sturen. Ze kunnen zelfs een klacht indienen, die de politie serieus moet nemen. Absoluut niet,' vond Jan-Jakob.
Maar Simon had het gedrag van de buurman zo bedreigend en beangstigend gevonden en omdat hij de vader was van twee jonge kinderen die ook bedreigd waren, belde hij vanuit zijn auto, waar niemand hem kon horen, met zijn mobiele telefoon de politie om van zijn verdenking van dierenmishandeling te vertellen. Dit liet hij niet op zich zitten!
Gelukkig vermaakten de jongens zich net zo goed in de tuin van Milly en Jan-Jakob, die groot genoeg was om een hut in te bouwen. Als ze beloofden het hek te sluiten, mochten ze helemaal achterin de tuin wel wat in elkaar timmeren. Ze raapten echter eerst de eieren, wat ze een fantastische gebeurtenis vonden.
De vier volwassenen waren in de serre gaan zitten van waaruit ze een goed overzicht hadden op de tuin. Fay en haar nichtje zaten vlak voor het raam met het konijn te spelen, maar Milly kon aan Fays hele houding zien, dat ze gespannen was.
'Wat gezellig, zeg,' riep Kitty uit. 'Jullie hebben verlichting in de tuin opgehangen.' Ze tuurde naar buiten.
'Ja, achterin, in een grote boom. Als het straks donker is, is het natuurlijk nog beter te zien. Het staat heel feestelijk.'
'Je hebt het binnen anders ook leuk aangekleed,' vond Simon. 'Zelfs in de keuken heb je een kerstboompje.'

'Ja, daar zitten we veel,' zei Milly, 'maar straks gaan we met zijn allen naar buiten.'
'O?'
'Ja, we gaan de vuurkorf aansteken en marshmallows grillen.'
'Echt? Goed, zeg!' riep Kitty enthousiast uit.
'Dat zullen de kinderen geweldig vinden,' vond Simon.
'Hoe gaat het trouwens met je moeder?' vroeg Milly aan Simon.
'Erg goed. Ze is flink opgeknapt van de operatie en de arts heeft haar verzekerd dat ze verder ook helemaal gezond is. Echt geen uitzaaiingen dus. Ze moet nog wel geregeld naar het ziekenhuis voor controle, maar dat is routine, dat doen ze altijd. Nee, we zijn allemaal erg opgelucht dat het met een sisser is afgelopen.'
'Dat kan ik me voorstellen,' vond Milly.
'Maar hoe is het hier?' Simon keek Jan-Jakob onderzoekend aan. 'Ik hoorde dat jij mensen moest ontslaan.'
'Ja, vreselijk,' verzuchtte Jan-Jakob. 'Het zit me niet mee.' Hij keek zijn zwager grimmig aan. 'Hier thuis is het niet meer zo prettig als eerst, door de buren, bedoel ik. Tussen Milly en mij is alles prima, dat bedoelde ik niet. Maar op het werk loopt het ook niet lekker. Ik vond het afschuwelijk dat ik ze moest ontslaan. Ik begrijp best dat iemand het moest doen, en ik snap zelfs wel dat ik de aangewezen persoon was voor mijn eigen afdeling, maar het is mijn hobby niet. De eerste twee vertrekken al snel. Op 1 januari staan ze op straat. We hebben een paar dagen geleden afscheid van hen genomen. Gelukkig heeft een van hen alweer werk. Dat is een hele troost voor me. De andere twee blijven nog een maand werken, dan vertrekken die ook.'
'Je moest er zelf een kiezen? Tenminste, zoiets vertelde Kitty's vader.'

'Ja, en dat was het allermoeilijkste. Bij die drie kon ik me achter de directie verschuilen en zeggen dat het hun beslissing was, maar die vierde ...' Jan-Jakob zuchtte opnieuw. 'Geef mij maar een aantal inspectierapporten, dan vind ik de fout in de installatie wel. En ik kan heel goed het onderhoud en de revisieplannen of de bedieningsvoorschriften bijstellen. Maar mensen ontsla...'
'De bel,' viel Milly hem in de reden. 'Wie zou dat nou zijn?'
'Ik ga wel.' Jan-Jakob stond op om naar de voordeur te lopen. Hij hoopte dat het alsjeblieft niet iemand van Bol zou zijn, want daar had hij geen zin in. Het was net zo gezellig met hun gasten, al vond hij het onderwerp dat Simon aangesneden had, zwaar. Gelukkig zag hij dat het Cornelia was, die voor de deur stond. 'Kom er even in,' zei hij vriendelijk. 'We zitten in de serre te kletsen. We hebben bezoek, maar u kent ze al, dacht ik.'
Cornelia knikte verheugd en Jan-Jakob wist dat ze de auto herkend had en er dus allang van op de hoogte was dat Milly's zus er was.
'Goedemiddag,' zei ze.
'Cornelia.' Milly was verrast. Ze had er niet aan willen beginnen Cornelia bij haar binnen te vragen, omdat ze vermoedde dat ze haar dan elke dag voor de deur had staan, maar dat kon ze nu moeilijk tegen Jan-Jakob zeggen. 'Ga zitten. Wilt u koffie?'
'Lekker, maar ik kwam iets belangrijks vertellen.'
Milly stond op en verdween naar de keuken.
Cornelia wachtte blijkbaar geduldig tot ze terug was met de koffie. Zodra Milly zat, ging ze van start: 'Ze hebben net de hond van Bol opgehaald.'
'Wie?' vroeg Jan-Jakob.

Milly voelde hoe het bloed naar haar wangen steeg.
'De dierenbescherming!' riep Cornelia triomfantelijk uit.
'Meent u dat?' vroeg Jan-Jakob verbaasd.
'Ja! Hebben jullie het zelf niet gezien dan? Ze kwamen met een busje en die jongens van Bol waren woest. Een van hen rende de auto achterna en schopte het busje terwijl het op de weg draaide. Hij balde zijn vuist naar de lucht toen het busje wegreed mét de hond.'
'Nee, we hebben niets gezien en niets gehoord. We zitten al die tijd hierachter in de serre.'
Cornelia glunderde ervan dat ze een nieuwtje wist dat de anderen nog niet kenden.
Jan-Jakob lachte opgelucht en Kitty en Simon waren het met hem eens dat het geweldig was dat de hond was weggehaald. Maar Milly bekroop een ondefinieerbare angst. Ze had geen idee waarom de hond was opgehaald, maar ze voelde wel dat de schuld bij hen gelegd zou worden door die lui van Bol en wat zou daar het gevolg van zijn en wie was van dat gevolg de dupe?

HOOFDSTUK 11

Het antwoord kreeg ze de volgende ochtend al. Het was de dag voor Kerst en ze hadden afgesproken met zijn allen naar de stad Groningen te gaan om daar wat te winkelen en te genieten van alle kerstverlichting en de grote kerstboom in het centrum.
'Pappa, pappa, kom,' riep Gijs opgewonden.
'Ja, zeg, geduldig. We hebben vakantie. Mag ik mijn brood even opeten.'
'Pappa, kom nou kijken. De auto is kapot.'
'Wat zeg je nou?' Simon keek hem geschrokken aan en kwam razendsnel overeind. Hij haastte zich Gijs achterna, die alweer naar buiten stormde.
Simon bleef als aan de grond genageld staan. 'Nee,' riep jij verbijsterd uit. 'Nee, dat kán niet waar zijn.' Hij sloeg zijn handen voor zijn mond en schudde zijn hoofd. Hij voelde tranen omhoogkomen, maar bedacht dat hij voor iedereen te kijk stond op straat en de aanblik van een volwassen kerel met vochtige ogen gunde hij niemand. Vooral de dader niet en hij was ervan overtuigd dat die heel dicht in de buurt was.
Jan-Jakob had het tumult gehoord en was ook naar buiten gekomen. 'Wat is er aan de ha... Nee, toch, Simon. Je auto! Man, die prachtige wagen. Wat is er gebeurd?'
'Moet je dat nog vragen?' zei Simon met een van woede vertrokken gezicht.
'Hoe dan? Wie kerft er nu zulke groeven in de lak. En over twee portieren nog wel. Zie dan toch, je spiegels liggen er allebei naast, afgebroken.'

'Je hoeft het me niet te vertellen,' snauwde Simon. 'Ik zie het zelf wel.'
Jan-Jakob zweeg en keek verslagen naar de vernielingen. 'Dit is puur vandalisme, en dat op het platteland! Zoiets verwacht je in de stad, maar hier?'
'Heb je werkelijk niet door wie dat gedaan heeft?' vroeg Simon verbeten.
'Nee.'
'Jouw buren. Die lui van Bol. Het is mijn schuld dat hun hond is opgehaald en dat zal ik weten ook. Ze hadden me gewaarschuwd, maar daar heb ik me niets van aangetrokken en dit is het resultaat.'
'Jouw schuld?'
'Ja,' zei Simon. 'Ik heb de politie gebeld nadat de kinderen me vertelden hoe het dier eruitzag en naar aanleiding daarvan zijn ze gekomen en hebben de hond meegenomen. En dat hebben ze dus goed begrepen. Dat ik gebeld moest hebben.'
'Dit kunnen we niet over ons heen laten gaan. We moeten de politie bellen.'
'Je hebt gelijk, Jan-Jakob, maar ondertussen denk ik wel: wat staat me dan weer te wachten? Of jullie?'
'Inderdaad. Kom, laten we eerst maar de stad in gaan, daarna kunnen we altijd nog zien.'
'Nee, wacht even.' Simon haalde zijn mobiele telefoon tevoorschijn en begon er foto's mee te maken. 'Het is misschien wel niet duidelijk te zien, maar er staat een datum en een tijd op de foto's, zodat we altijd kunnen bewijzen wanneer het was. Ik neem er ook een met het huis erbij, als bewijs dat het hier gebeurd is.

Als we eerst de stad in gaan, zullen ze vast zeggen dat het daar gebeurd is.'
'Heel slim van je,' vond Jan-Jakob. 'Ik ga de anderen waarschuwen dat we weggaan.'
'Wat is er gebeurd?' Kitty kwam hem bezorgd tegemoet. 'Gijs had het over een kapotte auto.'
'Ga maar naar buiten, dan kun je het zelf zien. Simon is daar nog.'
Gelukkig konden ze het gebeuren in de stad weer vergeten. Het was er redelijk druk, maar vooral erg plezierig en sfeervol. Elke etalage was versierd met kerstversiering en overal hingen lampjes boven de straten. Je kon warme chocolademelk krijgen op straat en er stond een grote poffertjeskraam, waar de kinderen direct trek van kregen.
Voor het stadhuis zat Fay een duif achterna die broodkruimels van het plein pikte. 'Kip, kip,' riep ze.
Milly moest lachen. 'Malle meid, dat is een duif. Wil je ook poffertjes?'

Op eerste kerstdag gingen ze naar de kerk in Holwierde, de dichtstbijzijnde kerk voor hen. Kitty, die bij Milly in de auto zat, verzuchtte onderweg: 'Meid, wat is het toch geweldig om hier te rijden. Al die weidsheid, die weilanden en akkers.'
'En heb je die grote, statige boerderijen wel gezien?'
'Prachtig. Wat moet het hier 's zomers mooi zijn.'
'Dan groeit hier veel koren. Dat is ook een schitterend gezicht, zo'n wuivend korenveld, rogge of tarwe. In het voorjaar zijn er bloeiende koolzaadvelden.'

'Soms ben ik stikjaloers op je,' zei Kitty, 'maar ondanks dat zou ik niet met je willen ruilen, want dan moet ik het met Jan-Jakob doen en al vind ik hem een schat, Simon is duizend keer liever en leuker.'
'Vind je?' zei Milly quasi verbaasd. 'Daar denk ik nou precies tegenovergesteld over.'
'Gelukkig maar.'
De kerstdagen verliepen genoeglijk. De jongens waren veel buiten, maar daar maakten ze zich weinig zorgen over. Omdat het winter was, stonden de koeien op stal en stond er geen stroom op het prikkeldraad achter de tuin en verder waren ze flink genoeg om op zichzelf en elkaar te passen.
De meisjes waren vooral binnen en het liefst op Fays kamer, waar ze een splinternieuw eenpersoonsbed hadden neergezet. Zodra Kitty met haar gezin weer weg was, zou Fay dat grote bed krijgen. Er bekroop Milly een weemoedig gevoel bij die gedachte. Dat was het einde van het tijdperk van het piepkleine meisje. Stukje bij beetje begon ze groter te worden. De eerste groep van de basisschool, geen ledikantje meer.
'Ben je nog niet opnieuw in verwachting?' had Kitty zachtjes gevraagd.
'Nee, maar we ...'
'Wat?'
'We oefenen ook niet al te best, wilde ik zeggen.'
'Waarom niet?'
'Toen we er eindelijk weer aan gewend waren om te vrijen, kregen we problemen met de buren. Ik slaap slecht en voel me vaak vreselijk onrustig in bed. Op zulke momenten kan ik niet vrijen.'

'Dat begrijp ik,' zei Kitty.
'En zo vergaat de tijd.'
'Joh, niet zo dramatisch. Je bent nog zo jong en Fay ook, hoor!'

Op "derde kerstdag" hield Simon het niet langer vol. 'Nu bel ik de politie. Ze moeten niet denken daar bij Bol, dat ik dit pik. De politie heeft nu lang genoeg vrij gehad wat mij betreft. Vandaag moet er weer gewerkt worden.'
Geïrriteerd deed hij zijn verhaal uit de doeken. De agenten reageerden zoals Jan-Jakob verwacht had. Ze kwamen niet kijken, ze konden niets doen, want het viel nooit te bewijzen dat de buren het gedaan hadden. Geen bewijzen, geen dader.
'Zou je die agenten niet?' riep Simon geërgerd uit. 'Ik mag wel een verklaring gaan afleggen op het bureau, maar ze doen er niets mee. Ik kan het niet eens gebruiken voor de verzekering. Ben ik mijn no-claim kwijt! Dit gaat me dus handenvol geld kosten. Ik ga naar ze toe!' Met grote passen liep hij de huiskamer uit.
Milly, Kitty en Jan-Jakob keken elkaar verbaasd ogen aan. 'Gaat hij echt?' Jan-Jakob kwam overeind en rende naar de gang, maar de voordeur zat alweer in het slot. Hij aarzelde om achter zijn zwager aan te rennen, maar besloot het niet te doen. Simon zou de volgende dag weer vertrekken, hij bleef daar wonen. O ja? Bleef hij dat? Hij hoorde een onbekend stemmetje in zijn hoofd tegen hem praten, maar hij wilde het niet horen. Vanzelfsprekend bleef hij hier wonen. Dit was hun droomhuis. Niet alleen van Milly, maar beslist ook van hem!
Hij liep de kamer weer in. 'Ik weet niet wat ik moet doen,' zei hij aarzelend.

'Ik dacht dat hij het vergeten was,' zei Milly. 'Hij had het er helemaal niet meer over.'
'Maar ondertussen vrat hij zich op. Hij dacht aan niets anders,' zei Kitty.
'Zie je hoe je van slag raakt door zoiets?' vroeg Milly haar zus. 'Begrijp je nu eindelijk hoe wij ons hier voelen?'
'Dat je van slag raakt, snap ik wel, maar Simon gaat nu zijn verhaal halen en daarna komt alles weer goed. Het is afschuwelijk, Simon is gek op die auto, maar het is het einde niet.'
'Daar kon je weleens gelijk in hebben,' zei Milly met een sinistere blik in de ogen. Ze nam die woorden letterlijk, want ze wist zeker dat Simons bezoek een vervolg zou hebben.
Twee tellen later zaten ze allemaal van schrik rechtop op hun stoel. Simon stormde de achterdeur en de keuken binnen. 'Je zou ze ...' riep hij met schorre stem. 'Je ... Je ...' Hij trok een stoel van tafel en liet zich vallen. Met een vlakke hand sloeg hij op tafel. 'Ik wil een borrel.'
'Nu?' vroeg Kitty. 'Het is amper tien uur.'
'Ja, nu!' riep hij geïrriteerd uit.
Jan-Jakob stond op en haalde een fles jonge jenever tevoorschijn, schonk een glaasje vol en schoof het naar hem toe. Simon nam een flinke slok en nog een. Met een klap zette hij het lege glaasje op tafel. 'Nog een,' bromde hij. Jan-Jakob vulde het weer, maar zette daarna de fles terug in de kast.
'Ik heb me heel beleefd gedragen,' begon Simon zijn verhaal. 'Ik zag geen bel, dus ik klopte op de deur. Was stiekem wel blij dat die hond niet in de tuin liep. Anders was ik misschien niet gegaan,' gaf hij toe. 'De deur ging op een kier open en ik vroeg of

ze een handtekening wilden zetten onder mijn verklaring voor de verzekering in verband met de beschadigingen aan mijn auto. Ik stak een schadeformulier naar hem toe, dat ik uit de auto gehaald had. Niet dat ik het al had ingevuld, maar ik wist niet hoe ik het anders moest aanpakken. Nou, toen het tot hem doordrong wat ik bedoelde, ging de deur wagenwijd open en greep hij me met twee handen beet. Hij zei dat hij met alle plezier een handtekening wilde zetten, als ik dan maar tweeduizend euro zou overmaken voor een nieuwe hond. Hun hond was een rashond geweest en nu waren ze hem kwijt. Zijn ogen waren op drie centimeter afstand van de mijne. Man, ik kreeg het me toch benauwd en dat zag hij natuurlijk. Dat kon hem niet ontgaan. Hij liet me los, grinnikte luidkeels en duwde me de tuin in. Ik wilde rennen, maar het is me toch gelukt langzaam en waardig zijn tuin door te lopen tot aan de poort. Wat een verschrikkelijke kerel en hoe oud is hij amper? Vijfentwintig? Hooguit. Niet te geloven dat hij mij de baas is. Ik zou hem ... Ik zou ...'

'Neem nog maar een borrel,' stelde Kitty voor.

'Niks ervan,' vond Jan-Jakob. 'Koffie is ook goed.'

'En nu?' vroeg Milly.

'Ik trek aan het kortste eind. Ik weet niet wat ik anders moet doen. Als de politie niet achter me staat.'

'Dat is het hem nu juist. Er is geen bewijs,' zei Jan-Jakob. 'Iedereen kan het gedaan hebben.'

'Niet in deze straat,' zei Milly. 'Hier kunnen alleen zij het gedaan hebben.'

'En dit noemen ze nou het rustige platteland,' mopperde Simon. 'Mijn arme auto! Ik hield er zo van. Hij zal nooit meer dezelfde zijn, al wordt-ie nog zo keurig opgelapt.'

Die avond werden ze weer opgeschrikt door een auto die veel te hard door de straat reed.
'Dus dat bedoelde je?' vroeg Kitty.
Milly knikte. 'Ik dacht dat we er vanaf waren. Het is niet eerder drie dagen achter elkaar stil geweest 's avonds laat, maar blijkbaar hebben zelfs zij vrij gehad met Kerst.'
'Maar wat doen die lui daar dan?' vroeg Simon.
'Dat weten we niet, we weten alleen dat ze er nooit lang blijven. Vaak zijn ze binnen tien minuten alweer weg.'
Dat was ongeveer het laatste wat er gezegd kon worden. De ene na de andere auto kwam voorbij, remde af, trok op, keerde en scheurde weer weg. Alsof ze drie dagen rust op één avond in moesten halen.
'De zaken gaan goed,' mompelde Simon in een halve seconde van rust. 'Doet de politie daar ook niets aan?'
'Ze zeggen dat ze ze in de gaten houden.'
'Poeh, zie jij een agent dan?'
'Ik ga niet kijken,' vond Simon. 'Het is erg onaardig van mij om te zeggen, maar ik ben opgelucht dat ik morgen naar huis ga.'
Bij die opmerking schoten Milly de tranen in de ogen. 'En wij dan? Wat moeten wij?'
Jan-Jakob wilde juist een arm om haar heen slaan, maar hij verstijfde in zijn beweging. Met een enorm glasgerinkel vloog er een baksteen dwars door het zijraam van de huiskamer. Wat een geluk dat er niemand achter het gordijn stond te gluren, dacht Milly later. Iemand van hen had zwaar gewond kunnen raken.

Nadat ze van de schrik bekomen waren, belde Jan-Jakob de politie. Die wilde nog wel iemand langs sturen om het raam dicht te spijkeren.
'Dat hoeft niet, dat kan ik zelf wel,' zei hij. 'Je moet komen om de dader op te pakken.'
'Kun je bewijzen wie het was?'
Dat kon hij natuurlijk niet. En op een baksteen was het moeilijk vingerafdrukken te vinden. Bovendien zouden ze er niet opstaan ook. De buurman had beslist handschoenen gedragen.
'Je gaat niet nu alvast naar huis,' riep Milly tegen haar zus.
'Daar dacht ik anders wel over.'
'Dat is gemeen. Mij nu in de steek te laten.'
'Nee, nee, we blijven, maar morgen gaan we wel.'

De volgende dag lag hun voortuin vol hondenpoep. Blijkbaar hadden ze bij Bol hun eigen tuin opgeruimd en alles bij Milly en Jan-Jakob in de voortuin gekiept.
'Het spijt me zo dat we weggaan,' zei Kitty zacht tegen haar zus. 'Het spijt me ook dat ik tegen je gezegd heb, dat je hier boven moest staan. Dit is allemaal te erg. Hier ga je kapot aan en ga je je zo machteloos van voelen. Hoe krijg je al die troep weer weg? En wat gaan ze vervolgens doen?'
'Je hebt in elk geval voor wat afleiding gezorgd,' zei Milly wrang. 'Het was heerlijk dat jullie er waren. En ik ben blij dat jullie zelf hebben meegemaakt wat voor afschuwelijke mensen er naast ons wonen. Dan weet je dat ik niet overdrijf.'
Kitty sloeg haar armen om haar zus heen. 'Moeten we nog helpen met opruimen in de voortuin?'

'Nee, ga maar. Je hebt een lange rit voor de boeg.'
De poep stonk vreselijk en Milly moest af en toe bijna kotsen terwijl ze de plastic zak openhield, waar Jan-Jakob de stront in schepte.
Cornelia zag hen natuurlijk bezig in de voortuin en kwam naar buiten. 'Zijn de gasten weer weg?' vroeg ze en trok haar neus op toen ze zag waar ze mee bezig waren. 'Mest is goed voor de tuin,' zei ze, maar hondendrollen?'
'U denkt toch niet,' zei Milly snibbig, 'dat wij die poep zelf in de tuin hebben gegooid?'
'Wie dan?'
'Eén keer raden,' mompelde Jan-Jakob met ingehouden woede.
'Wat bedoel je?' vroeg Cornelia verward.
'Die lui van Bol nemen het ons kwalijk dat hun hond weggehaald is. Hebt u dat nu nog niet door? De politie is bij hen aan de deur geweest en dat vinden ze duidelijk niet leuk.'
'Tja, dat dacht ik al. Ik zou zelf nooit de politie gebeld hebben.'
'Cornelia,' riep Milly uit, die zich steeds meer begon op te winden. 'Dat beest heeft Fay gebeten! Het bloed liep eruit. Zoiets hoeven we niet te pikken. Hij kwam in onze tuin!'
'Jaja, maar als je de politie erbij haalt, wordt het altijd alleen maar erger.'
'U vond die schutting ook lelijk,' zei Jan-Jakob, waarbij hij hun buurvrouw net zo woest aankeek als Milly.
'Ik ga wel weer,' zei Cornelia. 'Met jullie valt vandaag niet te praten.'
'Nu hebben wij het gedaan,' verzuchtte Milly. Ze keek Jan-Jakob aan en vroeg zacht: 'Zullen we toch met oud en nieuw maar naar

Den Haag gaan?'
'Klinkt verleidelijk,' zei hij. 'Ik heb daar net zelf ook over staan denken, maar ik kwam tot de conclusie dat we dat niet moeten doen.'
'O?'
'Je weet niet wat ze dan uitspoken, als wij er niet zijn. Oké, we zien het niet als we er niet zijn, maar we kunnen ook niets ondernemen.'
'Hoezo? Wat moeten we ondernemen?'
Jan-Jakob keek haar ernstig aan. 'Ik dacht ... Stel dat ze met vuurwerk gaan schieten. Wie weet wat voor vuurwerk ze in huis gehaald hebben. Als er brand uitbreekt, zijn we er tenminste meteen bij.'
'Brand?'
Jan-Jakob haalde zijn schouders op. 'Dat hoeft niet te gebeuren. Ik zie het misschien wat te somber in, maar het leek me beter het huis niet onbewoond achter te laten. We hebben ook kippen. Ik moet er niet aan denken als ze die wat aandoen. Ze zijn er gek genoeg voor.'
'Je hebt helemaal gelijk,' zei Milly, 'maar ik zie er als een berg tegen op om hier te blijven.'
'Dat begrijp ik en ik ben het zelfs met je eens, maar we moeten er samen het beste van maken. Ze mogen ons niet klein krijgen. Dit is een smerig werkje, maar binnen in ons huis is het gezellig en warm. We gaan zo lekker die warmte weer opzoeken en maken het daar nog gezelliger,' vond hij.
Milly knikte en keek naar Fay, die al die tijd stilletjes op het stoepje voor hun voordeur had zitten toekijken naar wat haar ou-

ders deden. 'Voor haar is het ook niet leuk meer hier.'
'Dan maken we het leuk,' vond Jan-Jakob. 'We gaan gewoon iets met zijn drieën ondernemen.'
En zo zaten ze even later alle drie op de vloer in de huiskamer, waar ze ijverig een hele stad bouwden met de blokken van Fay. Van papier knipten ze straten waar haar autootjes overheen konden rijden en van lucifersdoosjes maakten ze hokken, waar Fay kippen in wilde laten wonen. Ze gingen een poos zo in hun spel op, dat ze inderdaad alles konden vergeten.
De kerstboom brandde en de warme chocola ging er goed in. Uit de cd-speler kwam kerstmuziek en elke willekeurige toeschouwer zou denken dat het hier om een harmonieus, vredig gezin ging, waar iedereen alleen maar gelukkig was.
Jan-Jakob had eerst geprobeerd iemand te vinden die die dag nog een nieuw raam wilde zetten, maar dat was niet gelukt. Niemand was bereid zijn vrije dagen voor hen op te geven. Gelukkig hadden Simon en Jan-Jakob 's nachts meteen al een paar planken voor het raam getimmerd, zodat ze niet in de kou zaten en met het gordijn ervoor getrokken, zagen ze er niets van.
Toen ze uitgespeeld waren, schoot het Milly te binnen dat ze ergens op zolder een paar grote puzzels van duizend stukjes had liggen. Ze zocht de mooiste uit, haalde meteen voor Fay ook een puzzel op en maakte ruimte op de ronde keukentafel. Het was lang geleden dat Milly gepuzzeld had, maar het werkte ontspannend en daar genoot ze van. Jan-Jakob hielp haar en Fay bij het zoeken van de juiste stukjes en ze kwamen op die manier de tijd aangenaam door.
Op een gegeven moment begon Jan-Jakob eten te koken, terwijl

Milly en Fay door bleven puzzelen.
'Hoe moet ik nou de tafel dekken?' vroeg hij quasi wanhopig.
'We nemen het bord op schoot en gaan in de huiskamer televisie kijken,' vond Milly. Dat was iets waar ze eigenlijk op tegen was, maar vandaag bleek het een prima oplossing. De puzzels bleven ongeschonden liggen en ze konden ermee verder gaan wanneer ze wilden. Die avond nog of de volgende dag. Milly merkte dat ze weer van hun huis kon genieten. Ook Fay leek een stuk minder bang, doordat ze die dag alles samen hadden gedaan.
Na het eten en nadat ze Fay in bed hadden gelegd, zei Milly dat ze haar moeder wilde bellen.
'Dat is goed, maar we hebben nog steeds die ene dvd niet gezien die ik maanden geleden al gekocht heb. Dat leek me nu net iets voor vanavond,' vond Jan-Jakob.
'Je hebt gelijk. Dat is een prima idee.'
Jan-Jakob keek haar liefdevol aan en drukte een snelle kus op haar wang. Hij hoopte dat ze naast hem kwam zitten als het zover was. 'Ik ga ondertussen koffiezetten.' Hij verdween naar de keuken en Milly nestelde zich met de telefoon op de bank in de huiskamer. 'Hoi, mam, hoe hebben jullie de kerstdagen doorgebracht? Ging het met opa?'
'Nee, het ging niet,' bromde Babs. 'We hadden het niet moeten doen. Eerst konden we hem al amper in de auto krijgen. Hij werkte gewoon niet mee. Vervolgens zat hij de hele tijd te slapen. Hij heeft geen hap gehad van het kerstmenu. En ten slotte wilde hij niet meer terug naar het tehuis! Hij is hier maar een uurtje geweest, maar het ging niet. Hij is echt beter op zijn plaats in het bejaardentehuis. Achteraf snap ik niet dat ik op het idee gekomen ben.'

'Het is toch je vader? Die wil je graag fijne kerstdagen geven.'
'Ja, zo zal ik wel gedacht hebben.'
'Was het dan tenminste gezellig met tante Geerte? Die is waarschijnlijk langer gebleven?'
'Ja, die is tot 's avonds gebleven, maar dat is ook niet alleen maar lachen en gieren.'
'Hoezo?'
'Tante Geerte mist oom Philip én hun zoon. Dat is logisch. Ik vind trouwens dat hij thuis had moeten komen.'
'Maar hij woont in Engeland!'
'Nou en? Er gaat vast elk uur een vliegtuig. Hij moet inzien dat zijn moeder het moeilijk heeft en dat ze oom Philip mist.'
'Tja, dat zal hij ook wel. Ik kan er niet over oordelen, mamma. Ik ken zijn omstandigheden niet. In elk geval had ze jullie.'
'Dat is zo en ik heb erg mijn best gedaan op het eten. We hadden en vijfgangenmenu, hoewel we het dessert pas genomen hebben toen vader, eh opa, weer weg was. We hebben daarna uren gescrabbeld. Daar is Geerte goed in. En jullie? Hoe ging het met Kitty en haar gezin?'
'Wij hebben het heerlijk gehad. Het zijn leuke kinderen en ze hebben zich hier prima vermaakt. Alleen die toestanden met de buren ... Heb je Kitty nog niet gesproken?'
'Jawel, ze belde op dat ze weer veilig thuis waren, maar over jullie buren heeft ze niets gezegd.'
'Dat komt nog wel, denk ik. Ze heeft nu met eigen ogen gezien hoe het er hier aan toe gaat. En als zij het niet vertelt, zal Simon het wel een keer doen. Die is zo kwaad vanwege zijn auto.' Milly vertelde wat er gebeurd was.

'Ik snap niet dat de politie niets onderneemt,' zei Babs geërgerd.
'Omdat we niets bewijzen kunnen. Eigenlijk begrijp ik dat wel. Niemand kan bewijzen dat zij die auto beschadigd hebben en dat zij die steen door het raam gegooid hebben.'
'Maar dat is overduidelijk!'
'Voor ons wel, ja.' Milly zuchtte. 'Het is gewoon onmogelijk dat iemand anders de dader kan zijn, maar het is zoals ik net zei: we kunnen het niet bewijzen.'
'In elk geval reden te meer om oud en nieuw wel hierheen te komen,' vond haar moeder.
Milly legde uit waarom ze thuis wilden blijven. Ze rilde ervan en merkte dat ze weer zenuwachtig begon te worden. Jammer, want ze had zich juist weer zo fijn gevoeld. Deze hele dag samen met Jan-Jakob en Fay had haar zo goed gedaan. Dat gevoel moest blijven! Ze keerde zich naar Jan-Jakob, die inmiddels naast haar was gaan zitten. Op de salontafel stonden twee mokken geurige koffie. Ze glimlachte en stak haar vrije hand naar hem uit. 'Mamma, ik ga je ophangen. Er staat hier koffie koud te worden.'
Jan-Jakob had haar hand gepakt en drukte er een lichte kus op.
'Zal ik de dvd starten of mag ik je eerst zoenen?' vroeg hij.
Milly keek hem vol liefde aan en realiseerde zich dat het lang geleden was dat ze knus samen op de bank hadden gezeten, dat het lang geleden was dat ze zich ontspannen gevoeld had. Ze boog zich naar hem toe. 'Doe die zoen maar,' zei ze zacht en legde haar hand in zijn nek.

HOOFDSTUK 12

Er volgden een paar onverwacht gezellige dagen. Milly legde totaal drie puzzels van duizend stukjes op de keukentafel, terwijl Fay er zat te tekenen of te kleien en Jan-Jakob een van beiden soms hielp en soms zat te lezen in de stapels vaklitteratuur waar hij die hele zomer en het najaar niet aan toe gekomen was.
'S Morgens vroeg voerde Milly de kippen en hielp Jan-Jakob Fay bij het voeren van het konijn. Aan alles was te zien dat Fay het buiten niet prettig vond, maar binnen kwam ze weer tot leven. Milly had het ledikantje opgeruimd en nu mocht Fay in het grote eenpersoonsbed slapen. Ze voelde zich trots en ging met plezier naar bed en het was duidelijk dat het meehielp om zich beter te voelen in huis.
'Misschien voelt ze zich veiliger in dit bed, omdat ze er zelf gemakkelijk uit kan komen,' bedacht Milly. 'In dat ledikantje zat ze enigszins opgesloten, al kon ze er overheen klauteren.'
'Dat zou kunnen,' was Jan-Jakob het met haar eens. 'Ze is nu meer zelf baas of ze wel of niet in bed blijft en ze kan gemakkelijker naar ons toe als ze dat wil.'
Ze deden met zijn drieën boodschappen en om toch een paar uur niet thuis te zitten, brachten ze een bezoek aan hun oude straat in Delfzijl, waar ze door diverse buren binnen werden gevraagd.
'En? Spijt?' vroeg een van hen.
Milly wilde zich niet laten kennen en antwoordde zo opgewekt mogelijk: 'Jullie mis ik vanzelfsprekend heel erg, maar niets kan op tegen een huis op de vlakte. Het is er zo schitterend! Elke dag geniet ik van de ruimte en de vergezichten.' Daar was geen

woord gelogen aan, en daar moesten ze het mee doen.
'Sta jij op 1 januari ook op straat?' vroeg hun vroegere buurman Kees aan Jan-Jakob? 'Ik heb gehoord dat er nogal wat mensen weg moeten bij jouw bedrijf.'
'Dat klopt, ja, totaal zijn er vijftien mensen ontslagen, maar ik zat er niet bij.'
'Dan bof je maar,' vond Kees.
Jan-Jakob knikte instemmend, maar vertelde niet dat hij zelf vier van die mensen had moeten ontslaan. Hij vond het zo afschuwelijk dat hij het had moeten doen.
'Ik heb gehoord dat de westerlingen onder hen weer teruggaan naar het westen,' zei Kees.
'Niet allemaal,' zei Jan-Jakob verbaasd. 'Die man van mijn afdeling heeft gelukkig hier werk gevonden, ook in de Eemshaven. En hij komt oorspronkelijk uit Rotterdam. Ik begrijp eigenlijk niet goed dat ze weer teruggaan. Ik zou hier nooit meer weg willen. Al ben ik nog steeds geen echte Groninger, ik voel me hier veel meer thuis dan in het westen.'
De vrouw van Kees vroeg fluisterend aan Milly: 'Hoe is het nu met je? Ben je alweer zwanger?'
'Nee, nog niet, maar ik heb goede moed.' Ze kleurde bij dat antwoord en de buurvrouw schoot in de lach. 'Fijne herinneringen?' vroeg ze grijnzend.
Milly wilde haar niet wijzer maken dan ze dacht dat ze was, maar ja, ze had gelijk! De afgelopen dagen thuis waren zo ontspannen verlopen, dat ze de nacht ervoor heerlijk en langdurig gevrijd hadden, waardoor ze zich die dag extra prettig voelde.
'Bak jij dit jaar weer oliebollen?' vroeg een andere buurvrouw.

'Natuurlijk,' zei Milly. 'Dat doe ik elk jaar. Of ik nu hier woon of daar. Dat hoort erbij voor mij.'
'Dan kom ik oudejaarsmorgen bij je langs. Oké?'
'Hoeveel wil je er hebben? We hebben net boodschappen gedaan.'
'Tien is genoeg, hoor. We zijn maar met zijn tweetjes en de kinderen komen dit jaar niet. Die zijn met Kerst geweest.'
In dat geval heb ik wel genoeg beslag en rozijnen gekocht, rekende Milly in gedachten uit, maar ze zei: 'Wat ik er al niet voor over moet hebben om jullie een keer bij mij over de vloer te krijgen.'
'Sorry, hoor. Zo gaat dat.'
'Uit het oog, uit het hart,' zei Jan-Jakob.
'Dat bedoel ik niet,' verdedigde de vrouw zich. 'Ik denk vaak genoeg aan jullie, maar de tijd vliegt. We hebben het altijd druk, zelfs nu de kinderen niet meer thuis wonen.'
'Ik weet een beter idee,' zei een van hen. 'Jullie komen hier – met die oliebollen. Jullie weten hoe gezellig het hier in de straat is in de oudejaarsnacht. Wat mij betreft blijf je bij ons slapen. In elk geval kunnen jullie dan weer eens lekker bij iedereen langs. Paul heeft trouwens weer prachtig vuurwerk besteld, dat belooft opnieuw een feest te worden om naar te kijken. Je weet vast nog wel hoe we daar vorig jaar van genoten hebben. Is het niet wat om hier te komen?'
'Klinkt goed,' reageerde Milly opgetogen, 'maar we doen het niet.'
'O?'
'Nee, we willen juist weten hoe het bij ons in de straat is. Steken ze daar ook vuurwerk af? Gaan ze daar ook bij elkaar langs? Dat wil ik niet missen. Als het tegenvalt, kunnen we altijd nog

volgend jaar weer hierheen komen.'
'Hm, daar zit wat in, maar ik zal jouw oliebollen missen.'
'Dan kom je er een paar halen. Om tien uur zullen de eerste wel klaar zijn.'

Om precies tien uur op oudejaarsmorgen stond een van de buurvrouwen uit Delfzijl bij hen op de stoep. 'Jullie wonen hier inderdaad schitterend, zeg. Wat een plaatje, jullie huis. Alleen die schutting hiernaast. Moest dat zo?'
'Kom binnen. Leuk dat je er bent. Komt Kees ook?'
'Nee, hij ging met Paul mee om het vuurwerk op te halen, dat hij besteld had. Ik moest zeggen dat hij oliebollen bij de bakker ging halen.'
'Ook goed, hebben wij er meer,' zei Jan-Jakob met een knipoog. 'Loop maar mee naar de keuken, daar is Milly bezig.'
'Wat een ruimte!' riep ze uit. 'Dit is pas een echte keuken.' Ongevraagd ging ze aan de ronde tafel zitten. Ze keek instemmend om zich heen. 'Ja, hier zou ik het ook wel vol kunnen houden. Jullie hebben een goede keus gemaakt.'
'Dank je,' zei Milly, terwijl ze een schaal met oliebollen en een strooier met poedersuiker naar haar toeschoof. 'Tast toe, de eerste zijn altijd het lekkerst.'
'Dat laat ik me geen tweede keer zeggen.' De buurvrouw zocht duidelijk de grootste uit en hapte er met smaak in. 'Mmm, echt een bol van jou!'
'Fay ook!' riep het meisje.
Jan-Jakob lachte. 'Je hebt er al twee op.'
'Ik vind ze lekker. Ik wil er nog een.'

Jan-Jakob kon niet tegen dat lieve snoetje op en legde een verse oliebol voor haar op een schoteltje. Hij pakte de strooier, maar Fay hield hem tegen. 'Zelf doen,' zei ze kordaat.
Hij was blij dat ze zo goedgemutst was en gaf haar de strooier, pakte ondertussen een vaatdoek om na het strooien de tafel weer schoon te maken. Het was heerlijk het meisje zo bezig te zien.
De buurvrouw bleef niet lang. Ze nam haar zakje met tien oliebollen mee en wenste hun een goede jaarwisseling. Buiten zei ze opnieuw tegen Jan-Jakob: 'Jullie wonen hier fantastisch, alleen die schutting, daar zou ik me werkelijk elke dag aan ergeren.'
'Het is onze keus ook niet,' zei hij. 'In de tuin laten we de ligusterhaag gewoon doorgroeien, zodat we de schutting op een dag niet meer zien en hier hebben we klimop tegenaan gezet. Over een poosje zal er niets meer van te zien zijn en is het één groene muur van klimop.'
Jan-Jakob keek haar nog even na en daar maakte Cornelia gebruik van. Snel kwam ze haar huis uit en riep hem, vlak voordat hij de deur achter zich dicht kon doen.
'Ja?'
'Bakt Milly oliebollen? Ik was net achter het huis en daar rook ik het.'
'Inderdaad.' Toch nodigde hij haar niet binnen, al keek ze hem verlangend aan. 'Kom er vanavond na twaalf uur maar eentje halen,' zei hij.
Daar nam ze genoegen mee.
Na het bakken gaf Milly de keuken een grondige beurt, verving het filter in de afzuigkap en nam alle de kastdeurtjes af. Vervolgens was ze zelf aan de beurt en ging ze uitgebreid onder de

douche en waste haar haren. Daarna trok ze een feestelijke jurk aan, wat duidelijk bij Jan-Jakob in de smaak viel. Hij trok haar in zijn armen en kuste haar. 'Je ziet er prachtig uit,' zei hij in haar oor. Hij liet zijn handen over haar rug glijden. Hij merkte dat ze op zijn aanrakingen reageerde en kuste haar nogmaals.
'Ik voel me ook prima,' zei Milly. 'Deze dagen hebben me goed gedaan. Het was zo fijn dat we de hele tijd samen waren. Het gaf me een veilig en geborgen gevoel.'
'Ik vond het ook heerlijk,' zei hij. 'Overmorgen is het voorbij en moeten wij weer werken en ...'
'Gaat Fay naar school,' vulde Milly aan. 'Ik ben zo benieuwd hoe ze het daar vindt.'
'Anders ik wel. Ze kent er niemand van en het overblijven tussen de middag zal heel anders zijn dan ze gewend is.'
'Maar het duurt niet zo lang als bij jou in het dagverblijf.'
'Dat betekent voor jou ook een hele verandering,' zei Jan-Jakob. 'Zie je daar tegen op?'
'Nee, het lijkt me leuk om haar om drie uur van school te halen. Oké, ik moet daardoor op woensdagochtend gaan werken, maar daarvoor heb ik vrijdagmiddag weer vrij. Totaal lever ik wat uren in, maar dat betekent tegelijk dat ik Fay veel meer zie dan eerst en daar verheug ik me op.'
'Voor mij zal het een tegenvaller worden. Nooit meer dat kind op de achterbank als ik naar mijn werk rijd of naar huis.'
Milly knikte. 'Zo gaat dat met kinderen die groot worden.'
'Wat zeg je dat wijs.' Hij keek vertederd.
'Ik eh ...' Opeens stotterde Milly en hield ze zich in.
'Wat wilde je zeggen?'

'Nou ja ...' Ze keek hem aan. 'Ik had gisteren ongesteld moeten worden. Ik had er eerder niet aan gedacht. We hebben van de week toch ...'
'Denk je dat je zwanger bent?' vroeg hij verwachtingsvol.
'Ik weet het niet, maar het zou kunnen.'
'Milly, dus ...' Jan-Jakob straalde. 'Zelfs als je niet zwanger bent, vind ik het een fantastisch bericht. Ik bedoel dat je spontaan gevrijd hebt zonder ergens aan te denken of iets uit te rekenen.'
'Ja, ik had niet gedacht dat ik dat nog eens zou doen.'
Tot haar grote teleurstelling werd ze die middag ongesteld en ze had er direct een verklaring voor. Al dat gedoe met de buren zorgde ervoor dat ze ook lichamelijk in de war was. Ze was te vaak zenuwachtig en angstig en al was ze dat de laatste dagen niet geweest, haar lichaam moest er wel een optater van gekregen hebben. Maar ze was het zeker met Jan-Jakob eens dat het geweldig was dat ze zonder ergens aan te denken met hem gevrijd had. Dat had ze uiteindelijk toch gewonnen.
's Avonds keken ze televisie en genoten ze van de lekkere hapjes die Milly klaargemaakt had. Hoewel Fay mocht opblijven, vielen tegen tien uur haar ogen dicht en brachten ze haar naar bed. Om twaalf uur kusten Milly en Jan-Jakob elkaar en wensten ze elkaar veel geluk voor het komende jaar. 'Hopelijk met minder toestanden met de buren,' zei Milly erachteraan. Meteen greep ze de telefoon om haar ouders te bellen. 'Mamma, gelukkig nieuwjaar! Ook voor pappa!'
'Dank je, voor jullie ook natuurlijk. Ik hoop dat jullie komend jaar meer kunnen genieten van je huis.'
'Dat gaat lukken, mamma,' zei Milly vol goede hoop. 'Het is nog

steeds ons droomhuis. En wat belangrijker is: we hebben elkaar. Maar ik ga ophangen, want we gaan naar buiten. Jan-Jakob heeft een paar vuurpijlen die hij gaat afschieten. Dag!'
Jan-Jakob had ondertussen met zijn mobiele telefoon zijn ouders een gelukkig nieuwjaar gewenst en stond al in de gang met zijn jas aan. 'We moeten de voordeur maar openhouden, dan horen we Fay misschien als ze wakker wordt.'
Buiten bleek het al heel druk te zijn. Het was duidelijk dat sommige buren mensen op bezoek hadden, want er liepen meer mensen dan normaal.
'Gelukkig nieuwjaar, Cornelia,' zei Milly en stapte op haar buurvrouw af.
'Jullie ook. Heb je vuurwerk?' Met een angstig gezicht keek ze naar Jan-Jakob.
'Alleen pijlen, geen knallers,' zei hij geruststellend.
'In dat geval blijf ik graag kijken.'
Maar een eind verderop in de straat begon een vreselijk geknal, dat niet op leek te houden.
Jan-Jakob grijnsde. 'Volgens mij heeft Patrick een duizendklapper aangestoken. Nou, komt-ie, mijn eerste pijl.'
Milly en Cornelia riepen ah en oh, maar toen Jan-Jakob klaar was, wilde Milly naar de anderen in de straat lopen. Cornelia legde een hand op haar arm. 'Ik dacht dat ik een oliebol kon komen eten.'
'O? Ja, dat kan zeker,' zei Milly, 'maar ik wilde eerst iedereen de hand schudden.'
'Dat is een leuk idee, dan loop ik mee.'
'Ik niet,' zei Jan-Jakob, 'ik blijf hier voor als Fay wakker wordt.

Ik ga straks wel een rondje maken.'
Annet nodigde hen binnen voor een nieuwjaarsborrel. Geertje van nummer 5 zat er ook. En Patrick. Die vloog overeind en zoende Milly op haar wangen. 'Gelukkig nieuwjaar,' riep hij uitgelaten.
'Jij ook,' zei ze grijnzend. Hij had duidelijk al erg diep in het glaasje gekeken.
'Komt je man niet?'
'Nee, die blijft thuis bij Fay, maar als je straks nog een borrel wilt, kun je die bij ons komen halen.'
Samen met Cornelia ging Milly de buren af. Bij een enkeling gingen ze naar binnen, en het duurde ruim een uur voordat ze weer thuis was.
'Normaal ga ik altijd meteen naar bed,' biechtte Cornelia op, 'maar dit was veel leuker. Mag ik nu nog mee naar binnen bij jou?'
'Dat mag je, maar ik vermoed dat Jan-Jakob nu weggaat.'
Het verraste Milly dat Cornelia nooit eerder bij de buren langsgegaan was. Hoewel ze dat zelf ook niet gewend was geweest in Den Haag, bleek het in hun straat in Delfzijl de gewoonste zaak van de wereld te zijn om iedereen even gelukkig nieuwjaar te wensen. Milly had verwacht dat dat hier juist sterker zou zijn, omdat de straat maar zo weinig huizen telde.
Ze had trouwens gelijk. Ook Jan-Jakob wilde iedereen een gelukkig nieuwjaar wensen. Hij vertrok meteen na Milly's terugkomst. Terwijl Milly en Cornelia aan de keukentafel zaten, met een grote schaal vol oliebollen in het midden, kwamen Annet en Patrick erbij. Samen met Cornelia dronken ze een hele fles wijn leeg.
Na een uurtje kwam Jan-Jakob weer thuis. Hij had de man van

Annet bij zich. Tegen halfdrie vond Cornelia het welletjes. 'Ik word morgen nooit meer wakker,' zei ze. 'Ik ben nog nooit van mijn leven zo laat naar bed gegaan.' Ze stootte zich tegen de deurpost en Milly vroeg zich geschrokken af of Cornelia ooit van haar leven wel eerder zo veel wijn gedronken had. Hoeveel had ze op? Drie glazen? Misschien wel, ja. 'Zal ik je naar huis brengen?' stelde ze voor.

'Dat doe ik wel,' zei Patrick. 'Ik ga ook weg.'

Annet en haar man gingen tegelijk mee en om drie uur lagen Milly en Jan-Jakob dan toch in bed.

'Het was een heerlijke avond,' zei ze. 'Lekker rustig thuis en na twaalf uur heel gezellig. Niet te veel vuurwerk en niet te dronken mensen. Precies zoals het altijd zou moeten zijn.'

Jan-Jakob was het met haar eens, en kuste haar. Dat hij zo blij was dat de buren in het huis van Bol zich rustig hadden gedragen, zei hij niet hardop. Dat dacht hij alleen maar. Hij wilde die lui gewoon niet meer ter sprake brengen. 'Alleen Cornelia,' zei hij glimlachend. 'Ik hoop dat zij haar bed kon vinden. Welterusten, schat, en nogmaals gelukkig nieuwjaar.'

Hij deed het schemerlampje naast zijn bed uit en Milly draaide zich zo, dat ze in zijn armen in slaap kon vallen. Toen stond bij beiden een moment het hart stil.

Een enorme knal doorbrak de stilte die inmiddels over de straat gevallen was. Het klonk alsof de explosie naast hun bed plaatsvond. Een grote lichtflits scheen dwars door het gesloten gordijn heen. Milly voelde zich even totaal versteend en niet meer in staat iets te doen of te bewegen. Daarna begon Fay, in de stilte die volgde op de knal, hartverscheurend te huilen.

Jan-Jakob was als eerste het bed uit. Hij rende naar haar toe, tilde haar uit het grote bed en nam haar in zijn armen. 'Stil maar meisje. Pappa is nu bij je. Stil maar.' Snel bracht hij haar naar Milly, die inmiddels het lampje aan haar kant had aangedaan en rechtop in bed zat. Met verwilderde ogen keek ze hem aan.
'Neem jij Fay bij je? Dan ga ik kijken wat er gebeurd is.' Hij liep naar het gordijn, trok het opzij en keek naar buiten. Hij zag geen brand en dat was een grote opluchting. Hij wist zeker dat het aan de voorkant gebeurd was, dus liep hij de trap af en ging in de huiskamer kijken. Daar ontdekte hij het snel. In het schijnsel van hun eigen voordeurlamp, die aangesprongen moest zijn omdat er mensen in de buurt geweest waren, zag hij dat er van hun brievenbus, die voor aan de tuin stond, niets meer over was. Zelfs de houten paal waaraan hij bevestigd had gezeten, was verdwenen. Jan-Jakob realiseerde zich dat ze veel geluk gehad hadden. De metalen brievenbus, of stukken daarvan, had gemakkelijk door het grote huiskamerraam kunnen vliegen. Ook de paal had die kant uit kunnen gaan. Dat was echter niet gebeurd. De lamp ging uit en de straat werd gehuld in volledige duisternis. Zelfs de maan liet verstek gaan, waardoor Jan-Jakob niet kon zien of de brievenbus misschien op straat lag, maar dat kon hem niet schelen ook. Mochten de buren nog late bezoekers krijgen, dan was het hun probleem als die brievenbus op straat lag. Hij besloot weer naar boven en naar bed te gaan.
Fay en Milly zaten nog rechtop in bed en keken hem vol spanning aan.
'Vuurwerk in onze brievenbus,' zei hij. 'De schade valt enorm mee. We gaan slapen.'

Hij trok het grote tweepersoonsdekbed over zijn twee vrouwen heen en kroop erbij. Zo sliepen ze met zijn drieën een gat in de eerste dag van het nieuwe jaar.

HOOFDSTUK 13

Fay kwam behoorlijk bij op school. Langzaam maar zeker werd ze weer het vrolijke, levenslustige meisje dat ze geweest was, voordat ze door de hond gebeten was. De eerste nachten nadat de brievenbus ontploft was, durfde ze niet naar bed te gaan, maar sinds kort sliep ze weer op haar eigen kamer. Het was sindsdien gelukkig rustig gebleven in de straat. Het leek erop alsof de buren hun wraak genomen hadden en de zaak als afgedaan beschouwden. Alleen kwamen nog steeds 's nachts auto's met veel lawaai aan scheuren. Milly en Jan-Jakob begrepen maar niet waarom ze met zo veel herrie kwamen. Dat moest in de hele straat opvallen en het zou niet anders dan logisch zijn dat ze er klachten over kregen. Maar vermoedelijk waren de diverse chauffeurs net zulke brutale mensen als de lui die in het huis van Bol woonden, en lapten ze elke regel aan hun laars en kon het hun ook totaal niets schelen of ze al of niet een berisping van de politie zouden krijgen.

Fays klas bestond uit veertien kinderen, waarvan Fay de enige in groep 1 was. De rest zat in de groepen 2 en 3. Milly genoot volop van haar verhalen die ze direct begon te vertellen als ze bij haar moeder achter in de auto stapte op weg naar huis. En als Jan-Jakob thuiskwam van zijn werk, begon Fay met evenveel enthousiasme opnieuw haar verhalen te vertellen. Het was werkelijk heerlijk om haar zo geestdriftig te horen praten en Milly durfde weer wat zorgelozer adem te halen. Alles leek toch nog goed te komen, in elk geval waren ze in rustiger vaarwater terechtgekomen en daar genoten ze alle drie duidelijk van.

Op een dag, de tweede week in januari, vroeg een meisje uit groep 2 of Fay met haar mee naar huis mocht om te spelen. Fay had het al vaak over haar gehad. Ze heette Didi en het leek bijzonder goed te klikken tussen de twee meisjes. Fay wilde graag en pakte haar moeders hand. 'Mamma, dat mag toch?'
'Als het ook van haar moeder mag.'
Milly en de moeder van Didi wisselden adressen en telefoonnummers uit. 'Dan kom ik haar om vijf uur halen,' zei Milly.
'We wonen op een boerderij, een eindje van de weg af. Ik hoop dat je het vindt.'
'Altijd, als het om mijn dochter gaat.' Milly zwaaide de auto met de twee kleine meisjes uitbundig na. Het was vreemd om zonder kind naar huis te rijden, maar Milly vond het geweldig dat Fay nu een vriendinnetje had. Ze maakte meteen van de gelegenheid gebruik om eens flink wat boodschappen te doen en thuis verschoonde ze alle bedden.
Iets te vroeg reed ze het erf op van Didi. Een herdershond kwam de auto blaffend begroeten en Milly schrok vreselijk. Niet van de hond, want die vertrouwde ze wel, maar hoe zou Fays reactie geweest zijn? Ze had er geen seconde bij stilgestaan dat veel boeren een hond op het erf hadden lopen. Met angst en beven zocht ze naar de ingang, maar opzij ging al een deur open. 'Milly, we zitten hier.' Maar vreemd genoeg liet Didi's moeder Milly niet binnen, maar stapte zelf naar buiten en sloot de deur. Ze had een jack om haar schouders geslagen en trok het dichter om zich heen. Er stond een straffe wind.
'Wist je wel dat ze bang is voor honden?' vroeg Tjeetske bezorgd.
'Ze is een aantal weken geleden door een hond gebeten. Ook een

herder,' zei Milly.
'Och, meid, afschuwelijk. Dat wist ik niet. Ik wilde je juist zeggen dat je er wat aan moest doen, want ze is ongezond bang en dat is nergens voor nodig. Althans, dat dacht ik. Maar nu is het logisch. Ze heeft geen leuke ervaring.'
'Nee, het deed behoorlijk zeer en bloedde flink, we zijn zelfs naar de dokter geweest, maar voel je niet schuldig, het is mijn fout. Ik had me moeten realiseren dat het normaal is dat er een hond losloopt op een boerderij. Ik had het je moeten zeggen.'
'Ik weet het nu en vandaag was het geen probleem. Ze konden niet buiten spelen, omdat het veel te koud is. Misschien groeit ze er op den duur wel overheen, maar als ze weer hier komt spelen, zorg ik ervoor dat Bas vastzit aan de lijn.'
'Ging het verder goed?'
'Volgens mij hebben ze elkaar helemaal gevonden. Ik vind het erg leuk voor Didi, want die had tot nu toe geen vriendinnetje op school. Dus ik hoop niet dat je er iets op tegen hebt dat ze nog eens bij elkaar zijn na schooltijd.'
'Zeker niet, ik vind het juist fijn voor Fay. Zullen we meteen afspreken wanneer ik Didi uit school mee naar huis neem? Dat scheelt jou een ritje.'
'Dat zou te gek zijn. Kun je dinsdag? Dan zou ik naar mijn moeder, maar het is altijd zo haasten om daarna op tijd bij school te staan.'
'Afgesproken, dinsdagmiddag.'
'Leuk! Didi zal zich er beslist op verheugen. Zal ik haar rond vijf uur bij je ophalen?'

Fay verheugde zich misschien nog wel meer dan Didi op het bezoek en uitgelaten nam ze haar vriendinnetje mee naar buiten om Ko aan haar te laten zien. Didi had van alles op de boerderij, maar geen konijn. Het meisje was niet bij hem weg te slaan. Omdat Milly bang was om Fay helemaal alleen buiten te laten, ging zij aan de slag in de groentetuin. Er stond nog wat boerenkool, maar het grootste deel was leeg. Milly pakte de schep en begon de grond om te spitten.

Didi ontdekte de schommel, die ze thuis ook niet had en de twee meisjes vermaakten zich uitstekend. Milly genoot er volop van. Het was de eerste keer dat Fay weer buiten speelde, zonder dat ze angst vertoonde.

'Wij hebben thuis een trampoline,' vertelde Didi, 'maar ik vind een schommel leuker!'

'Het gaat weer echt de goede kant op met Fay,' vertelde Milly 's avonds aan Jan-Jakob. 'Ik ben er zo blij om.'

Hij glimlachte. 'Ja, als je haar snoetje ziet wanneer ze vertelt wat ze gedaan heeft op school of als ze over Didi praat. Heerlijk.'

'Didi's moeder is trouwens ook een hartelijk mens en zo begripvol! Ze vroeg of ik zin had om de volgende keer dat Fay bij Didi speelt, mee te komen voor een kop koffie. Het leek haar verstandig dat ik in de buurt was. Het lijkt af en toe al voorjaar, dus ze dacht dat de kinderen misschien buiten wilden spelen als Fay weer bij hen was, maar omdat Fay bang is voor hun hond ...'

'Goed idee, ja. Heel verstandig. Misschien kunnen jullie haar op die manier weer laten wennen aan een hond. Het zou verschrikkelijk zijn als ze de rest van haar leven bang blijft voor honden, want eigenlijk is dat niet nodig.'

'En zeker niet voor hun hond. Bas schijnt een echte schat te zijn. Didi kan er alles mee en hij gromt nooit.'
Het verliep echter niet zoals de moeders gehoopt hadden. Fay was met geen stok naar buiten te krijgen, al had ze meteen bij aankomst gezien dat Bas aangelijnd zat.
'De hond van de buren zat eerst ook vast,' legde Milly uit, 'en toch is hij losgekomen en onze tuin in gelopen.'
'Met die schutting?' Tjeetske trok haar wenkbrauwen op.
'Die stond er destijds nog niet. Die hebben ze er neergezet nadat de politie bij hen aan de deur was. Wij hadden een klacht ingediend.'
'En ze mochten de hond houden? Ik dacht dat honden die bijten meegenomen worden.'
'We konden het niet bewijzen. Natuurlijk was het zeker dat het hun hond was, maar een bewijs hadden we niet. Vandaar.'
'Ik heb een idee. Heeft ze weleens een varken van dichtbij gezien?'
'Nee,' zei Milly. 'We zijn vaak in een kinderboerderij geweest. Daar waren geiten, geen varkens.'
'Mooi. Didi, Fay, we gaan ons varken voeren.'
Het klonk interessant, dat was aan Fays gezicht te zien, maar ze vertrouwde het buiten voor geen cent. Ook dat was te zien. Ze trok met tegenzin haar jasje aan en hield daarna Milly's hand zo stevig vast, dat Milly spijt kreeg dat ze ermee ingestemd had.
'Loop maar met mij mee,' zei Tjeetske. 'We gaan niet langs de hond.'
'Hij lust graag aardappelschillen,' vertelde Didi. 'Die lust jouw konijn niet.'

Al vond Fay het een bijzonder dier, het bezoek was geen succes. Al na twee tellen zei ze dat ze terug wilde naar binnen en ze keek voortdurend angstig om zich heen of de hond misschien vanuit onverwachte hoek op haar af zou rennen. Die nacht werd ze gillend wakker en toen Milly bij haar kwam, riep ze met doodsangst in haar stem: 'De hond, de hond is er. Hij moet weg!'
'Meisje, je hebt gedroomd. Er is hier geen hond.'
Maar ze liet zich niet geruststellen en uiteindelijk zat er niets anders op dan dat ze haar mee naar het grote bed namen. Daar kroop ze angstig in Jan-Jakobs armen en viel ze gelukkig weer in slaap.
Het was het begin van een hele reeks nachten met nachtmerries en Fay kroop overdag weer terug in haar schulp. Ze was voortdurend moe, wat logisch was, omdat ze slaap te kort kwam. Ze bloeide even op als Didi bij haar kwam spelen, maar ze wilde niet meer bij Didi spelen en op school had ze het duidelijk niet meer zo naar haar zin als eerst.
'Wat is er toch met Fay?' vroeg de lerares bezorgd. 'De eerst dagen leek ze verlegen en bang, maar dat veranderde al snel, maar nu lijkt het nog veel erger dan in het begin.'
Milly vertelde van de hond en de nachtmerries. 'Ik weet niet wat ik eraan moet doen. Ze slaapt tegenwoordig elke nacht bij ons in bed, maar dat kan niet altijd zo blijven.'
'Daar had je nooit aan moeten beginnen,' vond de lerares. 'Je had direct moeten zeggen dat ze in haar eigen bed moest blijven. Nu wordt het inderdaad moeilijk om haar weer in haar eigen kamer te krijgen.'
'Dat ben ik niet met haar eens,' zei Jan-Jakob, nadat Milly hem

van dit gesprek verteld had. 'Het kind was doodsbang. Op zo'n moment kun je niet zeggen: blijf jij maar in je eentje in je kamer. Nee, wij zijn haar ouders en moeten haar beschermen. Ook als er niets in huis is om bang voor te zijn. Ook voor nachtmerries dus.'
Milly keek hem warm aan. 'Fijn dat je het met me eens bent. Ik was er gewoon door van slag. Ik dacht echt dat we het verkeerd hadden aangelegd?'
'Dat zou kunnen natuurlijk. Wij zijn ook maar leken op opvoedkundig gebied. Maar ik was en ben het helemaal met je eens dat wij het zijn die haar een veilig gevoel moeten geven en dat dat heel belangrijk is.'
Didi begreep maar niet waarom Fay niet meer bij haar wilde spelen, maar de schommel was zo aantrekkelijk, dat het meisje graag bij Fay kwam. Toch begon Fay zich ook van haar terug te trekken. Het was alsof Fay haar niet voor honderd procent vertrouwde. Als Didi zo gek was op hun hond, moest Fay dan niet bang voor haar zijn?
De huisarts, die Milly ten slotte ten einde raad belde, vond dat ze geduldig moest zijn. 'Geef het de tijd. Die nachtmerries gaan vanzelf over. En wen haar ondertussen weer aan haar eigen kamer. Zet bijvoorbeeld een babyfoon op haar kamer en laat haar horen dat jullie beneden of in je eigen slaapkamer precies kunnen horen wat er op haar kamer gebeurt.'
'Maar eerst had ze totaal geen nachtmerries.'
'Dat kan best. Het was haar gelukt het voorval te verdringen. Daar zijn kinderen goed in. Tot ze dus weer van heel dichtbij een hond zag. Een, die precies op die hond leek die haar aangevallen had.'

'Ik heb een idee,' zei Tjeetske op een dag enthousiast. 'Bij buren van ons zijn zes weken geleden hondjes geboren. Die lopen nu los door huis. Het zijn zulke schatjes en géén herdertjes. Het zijn Schotse collies, weet je wel: lassiehonden. Daar moet Fay haast wel voor vallen. Zullen we ze eens bezoeken?'
Tjeetskes buurvrouw, die wist waarom ze kwamen, had de moederhond tijdelijk opgesloten, zodat alleen de puppy's in de kamer waren. Het waren inderdaad schatjes en Milly vroeg bijna of ze er een mocht kopen, zo lief en leuk vond ze ze. Fay had waarschijnlijk niet door dat het om jonge honden ging, want zij vond ze zeker net zo leuk. Ze pakte er zelfs een op en drukte hem tegen zich aan.
'Vind je de hondjes lief?' vroeg de buurvrouw.
Fay verstijfde.
'Ja,' zei Milly zacht. 'Dit zijn hondjes. Babyhondjes. Lief, hè?'
Fay was volkomen in de war en wilde na het bezoek niet met Didi mee naar huis, maar naar haar eigen huis. Ze zei de rest van de dag geen woord, maar kroop in een hoekje met haar pop, die ze stevig tegen zich aan klemde.

Op een koude morgen in februari begon Fay ineens te roepen: 'Kip! Kip!' Ze stond voor het serreraam en keek de achtertuin in. Milly begreep niet wat er aan de hand was, maar zodra ze naast haar stond, zag ze het. 'Hoe kan dat nou?' Er liep een kip op het terras vlak achter het huis. 'Zou de ren kapot zijn?' vroeg ze geschrokken aan Jan-Jakob.
'Onmogelijk. Ik heb 'm zaterdag nog grondig schoongemaakt. Dan had ik dat moeten zien.'

‘Hoe krijgen we haar weer in de ren?’ vroeg Milly zich af.
‘Is het er wel een van ons?’ bedacht Jan-Jakob.
‘Natuurlijk wel. Ik herken onze eigen kippen wel.’ Milly liep naar de bijkeuken, waar een oud jack hing, dat ze vaak droeg als ze in de tuin bezig was. Ze trok het aan en ritste het dicht tot aan haar kin. Op de thermometer die buiten hing, had ze gezien dat het tien graden onder nul was. Ze stak de sleutel van het hek in haar zak, pakte de gieter op die daar altijd vlak bij de verwarming stond sinds het zo koud was dat het drinkwater van de kippen telkens bevroor, en stapte huiverig de tuin in. De kip keek even op, maar ging vervolgens weer rustig door met pikken tussen de tegels. Milly besloot de vogel met rust te laten. Het was beter eerst te kijken waardoor ze ontsnapt was. Ze liep naar achteren, deed het hekje van het slot en zag dat de deur van de ren op een kier stond. Hoe kon dat? Had ze die zelf open laten staan? Onmogelijk. Ze wist zeker dat ze het hok altijd zorgvuldig afsloot. Het ging zo automatisch dat ze het niet had kúnnen vergeten.
Er was geen kip te zien. Ze stapte de ren in en keek in het nachthok of ze daar waren, maar ze vond er geen. Ook de haan was er niet en nu pas besefte ze dat ze die ’s morgens ook niet had horen kraaien. Wat kon er gebeurd zijn? Ze zette de gieter neer en zag opeens een platgetrapt ei.
Ze hadden geen verlichting aangelegd in het nachthok, omdat ze de kippen niet op onnatuurlijke wijze wilden houden. Dat hield in dat ze in de winter nauwelijks een ei konden rapen. Nu was er toch door een van de kippen een ei gelegd. Maar het ei was vertrapt en er stond een duidelijke, grote voetafdruk over het ei heen. Het was een mannenvoet, dat kon niet anders. Had Jan-Jakob zulke ribbels

onder zijn laarzen? Ze had geen idee, maar wist ook niet wat voor afdrukken ze zelf maakte. Ze kon zich echter niet voorstellen dat de afdruk van Jan-Jakob was, want hem zou het zeker opgevallen zijn dat er een ei lag? Bovendien was hij er niet meer geweest sinds zaterdag, toen hij het hok schoonmaakte.
Plotseling bekroop haar een afschuwelijk gevoel. De buren! Dit hadden die lui in het huis van Bol gedaan! Dat kon niet anders! Woest stapte ze de ren weer uit. Ze keek zoekend om zich heen en heel in de verte zag ze hun haan lopen in de wei. Die kregen ze vast nooit meer terug. Van de andere kippen was niets te zien. Met tranen in haar ogen liep ze terug naar huis. In de bijkeuken bekeek ze voor de zekerheid de onderkant van Jan-Jakobs laarzen, maar ze zag dat die totaal andere afdrukken zouden maken.
'Er is iemand van Bol in het hok geweest,' zei ze ontsteld. 'Dat kan niet anders. Alle kippen en de haan zijn weg. De deur stond open.'
Het kostte gelukkig niet veel moeite die ene kip die er nog was, in de ren terug te krijgen. Milly hoefde maar met het voer te rammelen of ze kwam aan gelopen. De andere kippen reageerden er niet op. Die waren waarschijnlijk buiten gehoorsafstand. Vermoedelijk net als de haan, want die was in geen velden of wegen meer te zien en kwam net zo min terug. Met haar telefoon maakte ze een foto van de voetafdruk, maar daar het erg donker was in de ren, was hij niet goed te zien. Jan-Jakob kwam met een grote zaklamp en bescheen de afdruk, zodat ze een betere foto kon maken.
'We moeten naar de politie,' zei Milly. 'Ze zijn in onze tuin geweest! Ze hebben op ons erf gelopen! Dit gaat echt te ver. Dit is van ons. Daar moeten ze van afblijven!'

‘Ik ga naar henzelf toe,’ vond Jan-Jakob. ‘Je weet hoe ze reageren. Als wij de politie op hen afsturen, is het hek weer van de dam.’
‘Het ging net zo goed,’ zei Milly getergd.
Fay had al die tijd voor het raam staan kijken. Ze begreep er niets van. ‘Ko? Waar is Ko?’
Gelukkig zat het konijn nog gewoon in zijn hok en terwijl Milly en Fay het beestje gingen voeren, stapte Jan-Jakob af op het huis van Bol.
Hij klopte luid op de voordeur en wachtte af.
Zoals andere keren ging ook nu de voordeur slechts op een kier open.
‘Waar was dit goed voor?’ vroeg Jan-Jakob rustig. ‘Ik dacht dat we wel quitte stonden.’ Hij meende daar niets van, maar vond dat hij ze niet bij voorbaat kwaad moest maken. Hij wilde nu eindelijk weleens een gesprek!
‘Quitte?’ De jongeman lachte schamper. ‘Ik heb vanaf het begin gezegd: als jullie je alleen met jezelf bemoeien, doen wij dat ook. Maar nee, jullie moeten zo nodig weer de politie bellen. Dan moeten wij iets terugdoen, toch? Lijkt me duidelijk.’
Voor Jan-Jakob kon reageren, was de deur weer dicht.
‘De politie bellen?’ herhaalde Milly verbaasd. ‘Dat hebben we niet gedaan! Maar nu heb ik er wel zin in. Met die foto van die voetafdruk moet er te bewijzen zijn dat een van hen in ons kippenhok geweest is.’
‘Dat denk ik ook wel, maar dan is Ko natuurlijk aan de beurt en dat mag niet gebeuren.’
Ze schudde instemmend haar hoofd. ‘Nee, dat kan Fay er niet bij hebben. Ze is zo gek op dat beestje.’

Een paar dagen later reed Milly door de straat. Fay zat achterin en was iets minder stil dan anders. Ze vertelde juist over iets dat op school gebeurd was, tot ze werden tegengehouden door Patrick, die midden op straat ging staan.
'Ben je levensmoe?' vroeg Milly geïrriteerd. 'Wat moet Fay wel niet denken? Stel dat ze je nadoet. Knap gevaarlijk, meneer.'
'Daar had ik niet bij nagedacht. Inderdaad stom van me, maar ik was bang dat je anders door zou rijden.'
'Je weet waar we wonen.'
'Klopt, maar ik zag je toevallig aankomen. Luister, ik zou heel graag Fay op de foto willen zetten. Ik ben toe aan iets nieuws en ik kan haar gezichtje maar niet vergeten.'
Even voelde Milly een steek van verdriet. Achteraf gezien was het misschien jammer dat ze destijds niet op zijn voorstel was ingegaan, want van de uitstraling die hem toen zo raakte, was niet veel meer over. Tegelijk herinnerde ze zich wat ze gedacht had, en zijn aanhoudend gevraag bevestigde die gedachte alleen maar. Wilde hij echt uitsluitend een foto voor zijn kunstzinnige werk of had hij er hele andere plannen mee? Temeer daar hij telkens zelf de foto's wilde maken. Hij vroeg nooit om een foto, nee, hij wilde ze zelf maken. En dat betekende automatisch dat hij ook zelf de negatieven had of de digitale originelen. Haar gedachten sloegen misschien nergens op en waren vermoedelijk zelfs helemaal fout, maar sinds het huis van Bol bewoond was, was Milly nergens meer zeker van. 'Fay is moe,' zei ze. 'We willen naar huis.'
'Kan ik dan een afspraak maken?'
'Ik denk het niet. Fay is tegenwoordig nogal moe. We slapen slecht.'

'Dat kan ik me voorstellen. Jullie hebben vast nog meer last van die auto's die 's avonds laat en 's nachts door de straat rijden dan ik.'
'Heb jij er dan ook last van?'
'Van die brullende motoren? Ja, zeg. Wie niet in onze straat? En de eerste komt altijd wanneer ik net in slaap gevallen ben. Vervolgens kan ik urenlang niet opnieuw in slaap komen. Ik ben een ochtendmens en heb 's avonds mijn slaap nodig, maar tegenwoordig moet ik elke morgen uitslapen, omdat ik 's nachts slaap te kort kom. Je vraagt je toch af wat die mensen daar doen. Ze blijven hooguit tien minuten. Volgens mij zijn het drugshandelaars en wordt het tijd dat de politie de boel oprolt.' Hij boog zich naar het geopende raampje van Milly's auto en zei zacht: 'Ik was het zo ontzettend zat, dat ik de politie gebeld heb. Anoniem, hoor. Ik heb geen behoefte aan toestanden in de straat. Ik vond alleen wel dat ze het eindelijk moesten weten bij de politie, want het is daar niet pluis.'
'Dus jíj hebt gebeld!' riep Milly uit.
'Ja, maar dat hoeft niet iedereen te weten. Ik heb geen behoefte aan toestanden.'
'Die hebben wij al. Ze zijn ervan uitgegaan dat wij gebeld hebben. Ze zijn in onze tuin geweest en hebben de ren opengezet. We zijn vier van onze kippen en de haan kwijt. Bedankt, Patrick.'
Milly wilde doorrijden, maar hij legde zijn hand op het geopende raampje. 'Dat spijt me, maar dat kon ik niet weten.'
Ze knikte en trok op. Had hij gelijk? Kon hij het niet weten? Ze was ervan overtuigd dat hij op de hoogte was van alles wat hen overkomen was. Dat Fay gebeten was, de steen door de huiska-

merruit, de hondenpoep in de voortuin, de krassen op de auto van Simon, de ontplofte brievenbus. Als hij het al niet zelf meegekregen had, was het hem wel verteld door anderen. In hun kleine straat bleef immers niets voor de ander verborgen?

'Hij realiseerde zich vast niet wat het teweeg zou brengen,' verdedigde Jan-Jakob hem 's avonds. 'Eigenlijk ben ik blij dat hij het gedaan heeft. Dan horen ze het bij de politie ook eens van een ander.'

HOOFDSTUK 14

‘Nu is onze laatste kip ook dood,’ verzuchtte Milly aan de telefoon. ‘Ik denk dat ze door eenzaamheid dood is gegaan.’

‘Dan neem je nieuwe,’ vond haar moeder.

‘Typisch een antwoord van jou. Die kippen interesseren je duidelijk totaal niet, maar mij wel en ik neem geen nieuwe. Niet zolang die lui hiernaast wonen.’

‘Kunnen we komend weekend langskomen?’

Milly’s mond viel open en ze vergat te antwoorden. Eind oktober waren ze al geweest en nu weer?

‘Op zaterdag heen en op zondag terug.’

‘Mamma, wat geweldig. Leuk, zeg!’

‘Fay is volgende week immers jarig en we kunnen door de week niet, omdat pappa naar zijn werk moet. Maar fijn dat het uitkomt. Praten we dan verder.’

Er werd een heerlijk voorjaarsweekend voorspeld en die voorspelling kwam inderdaad uit. Zo konden Milly’s ouders uitgebreider dan de vorige keer het buitengebeuren bekijken. Dat haar moeder niet zo enthousiast was, wist Milly wel, maar gelukkig probeerde ze toch zo positief mogelijk uit de hoek te komen. ‘De tuin ziet er prachtig uit. Als straks alles in bloei staat, moet het hier best aangenaam zijn om te zitten.’

Milly voelde zich tevreden en blij. Ze was nog steeds verrast dat haar ouders alweer gekomen waren, maar ze genoot er volop van en het leidde haar en de gedachten van Jan-Jakob en Fay behoorlijk af. Natuurlijk moest ook het konijn uitgebreid bewonderd worden, maar daar had oma Van Berckel wat moeite mee, omdat

ze niet zo van dieren hield.
'Oma moet hem aaien,' vond Fay.
'Nee, dat moet oma niet, maar oma heeft wel een verrassing voor jou in de auto staan. Ga maar met opa mee, die haalt het voor je op.'
Fay rende aan de hand van opa mee naar de straat.
'Hier gaan we weer groente verbouwen,' legde Milly uit terwijl ze op een omgespit stukje grond wees. 'Ik heb in de serre al zaadjes geplant. Daar is het soms behoorlijk warm als de zon schijnt.'
'Pfff, wat een werk,' vond moeder. 'Wat kost nou een krop sla tegenwoordig nog? Daar ga je toch geen moeite voor doen?'
'Mamma, het is wat met jou. Je hebt werkelijk aan alles wat met het platteland te maken heeft, een hekel. Je bent nog meer een stadsmens dan ik gedacht had. Je zou het eens moeten proeven, zo'n krop sla uit onze eigen tuin. Verser krijg je het nergens en daar komt bij dat je precies weet wat er aan gif op zit: niets!'
'Kijk, mamma,' riep Fay opgetogen. Ze kwam de achtertuin weer in. Opa hield een groot pak vast en vroeg zich af waar hij het neer zou zetten.
'Zullen we naar binnen gaan?' stelde Milly voor. 'Naar de huiskamer?'
Daar zette opa het pak op de vloer. 'Jij mag het papier eraf scheuren,' zei hij tegen Fay, die meteen begon te rukken en te trekken.
'Wat is dat?' vroeg ze toen het cadeau half tevoorschijn kwam.
'Een schoolbord,' zei oma. 'Jij zit nu op school en hier kun je zelf op tekenen of letters schrijven en je kunt het ook zo weer weghalen. Zal ik het eens laten zien?'
Opa hielp haar de laatste stukken papier te verwijderen. Daarna

haalde oma een pakje uit haar tas en stak het Fay toe. Ze vond er krijtjes in voor op het schoolbord en een borstel om alles weer schoon te vegen.
Fay vond het zo schitterend, dat ze er niet meer bij weg te slaan was. 'Didi moet komen,' zei ze.
'We zullen vragen of Didi gauw weer eens komt,' was Milly het met haar eens.
Aan Fay hadden ze dus geen kind meer. Het schoolbord moest zelfs mee naar de keuken omdat ze daar gingen eten, maar daar trapte Milly niet in. 'Nee, meisje, het blijft in de kamer. We moeten er maar een vaste plek voor zoeken. Misschien wil je het op je eigen kamer hebben. Dat mag ook. Maar we nemen het niet mee naar de keuken als we gaan eten.'
'Wat ben jij streng,' zei Babs zacht.
Milly dacht opeens aan de opmerking van Fays lerares. Dat ze haar juist verwende door haar 's avonds in hun bed te laten slapen. Hoewel dat tegenwoordig niet meer gebeurde. Het advies van de huisarts om een babyfoon aan te schaffen, was een bijzonder goed advies geweest. Fay ging nu altijd weer naar haar eigen bed. Ze vroeg wel elke avond of de babyfoon aan stond, maar een bevestiging hoefde ze al niet eens meer elke keer.
'Soms moet je streng zijn,' zei ze tegen haar moeder. 'Alsof je dat zelf niet weet.'
'O? Is dit een verwijt? Een steek onder water?'
'Mamma! Je was zelf ook streng, en ik zeg niet dat het verkeerd was.'
'Dan is het goed.' Maar Milly's moeder lachte en sloeg een arm om haar dochter heen. 'Het spijt me dat we niet vaker komen,

maar ik zie gewoon erg op tegen de lange rit. Alleen, nu ik Fay zo zie – ze is alweer gegroeid – spijt het me echt. De kinderen van Kitty heb ik zelf op zien groeien en ik leef veel meer met hen mee, omdat ze in de buurt wonen. Dat vind ik jammer en ik weet dat het vooral aan mij ligt.'
'Hoe kon je nou zeggen dat je verre reizen wilt gaan maken met pappa, als hij met de vut zou zijn? Dat begreep ik op dat moment al niet en ik begrijp het nog steeds niet.'
'Ach,' Babs haalde haar schouders op. 'Dat was zomaar een domme opmerking. Je hoort dat juist vaak van mensen die met pensioen gaan. Plotseling gaan ze reizen en de wereld bekijken. Ik zou best eens wat van Amerika willen zien, of Canada. Dan ga je vliegen. Dat is zo anders dan uren in de auto zitten. Maar zolang opa nog leeft, ga ik niet lang van huis.'
'Hoe gaat het eigenlijk met hem?'
Babs zuchtte zo diep, dat Milly bijna spijt kreeg van de vraag. Wat was er aan de hand?
'Het lijkt erop dat hij bezig is dement te worden.'
'Wát zeg je?'
'Ja, hij is verward, weet soms niet waar hij is. Gisteren wilde hij per se met me mee naar huis. Ik zei dat hij bij mij niets te zoeken had, maar hij zei dat hij mee wilde naar Liesbeth. Mijn moeder dus. Zijn vrouw!'
'Wat rot, zeg. Vooral omdat oma twee jaar geleden is overleden.'
'Precies. Ik durfde het hem niet te zeggen. Dat vond ik zo vreselijk.'
'Dat kan ik me voorstellen. Wat heb je dat gezegd?'
'Ik heb gejokt. Ik heb gezegd dat ze boodschappen doen was. Hij

was meteen gerustgesteld, maar toen ik echt weg wilde gaan, begon hij weer. Hij wilde met me mee naar Liesbeth. Het lijkt alsof hij niet meer begrijpt dat hij in dat bejaardentehuis woont. Het lijkt alsof hij denkt dat hij er op bezoek is..'
'Dat je dan tóch hierheen bent gekomen!' riep Milly uit.
'We hadden dit al afgesproken en om eerlijk te zijn, is het ook goed voor mezelf om even afstand te nemen. Ik zie hem elke dag en al heb ik dat zeker voor hem over, het is me soms te veel. Vandaag en morgen gaat tante Geerte naar hem toe. Zij gaat lang zo vaak niet als ik en ik weet dat ze denkt dat ik overdrijf. Als zij nu twee dagen achter elkaar gaat, kan ze zien hoe het met hem is. Ik heb trouwens bericht gekregen van het verzorgingstehuis waar we hem hebben opgegeven. Er zijn nog drie wachtenden voor hem. Dus het schiet op. Het kan drie dagen duren of drie weken of maanden. Een naar idee vind ik het, want het wachten is op drie mensen die overlijden. Dan is er plaats voor opa. Maar zoals hij nu is, moet ik het bejaardentehuis wel gelijk geven. Opa heeft duidelijk meer verzorging nodig.'

Ook Didi vond het schoolbord prachtig en omdat het twee kanten had om op te tekenen, waren ze ieder aan een eigen kant bezig. Didi schreef zelfs al een paar letters op het bord, dat Milly op het terras buiten had neergezet. 'Het is zulk lekker weer, dat moeten we uitbuiten,' vond ze.
Zelf zat ze op het terras van de rust te genieten. Ze had weliswaar een jack aan, maar ze genoot van de zachte wind die over het land streek en haar haren zacht deed bewegen. Hij bracht de geur mee van voorjaar en voorjaar gaf altijd hoop, vond Milly. In het

voorjaar begon alles opnieuw. De planten kwamen weer boven, de bomen botten uit. Het voorjaar was het mooiste jaargetijde vond ze zelf. Ze was blij dat het in aantocht was.
Milly miste de kippen achter in de tuin en al had ze gezegd dat ze geen kippen meer wilde, zolang die mannen in het huis van Bol woonden, ze begon toch te twijfelen aan haar besluit. Ze woonde nota bene in haar droomhuis, mocht ze dan haar dromen niet uitvoeren? Ze had zo genoten van de kippen, van het gekakel, van het elke morgen naar buiten moeten om ze te voeren en schoon water te geven. En vooral van de eieren die ze vorig jaar had kunnen rapen en eten. Misschien moesten ze het toch maar weer doen, dacht ze. Het was ergens te gek voor woorden om geen kippen te nemen alleen maar vanwege de buren.
Ze bladerde in een tijdschrift en probeerde wat te lezen, maar dat was moeilijk met twee spelende kinderen in de tuin. Ze sloeg het dicht en bekeek de meisjes. Twee dagen eerder was Fay vier geworden. Ze hadden haar verwend met cadeautjes en ze had op school getrakteerd, wat ze een feest op zich vond. Vandaag was Didi gekomen om haar verjaardag te vieren. Milly had wel gevraagd of ze andere kinderen zou uitnodigen, maar Fay wilde alleen Didi maar zien. In de keuken hadden ze ijs gegeten. Een kleine ijstaart met vier kaarsjes erop. Fay had genoten. Zeker. En zo te zien vond ze het geen enkel probleem dat ze enig kind was, toch zou het geweldig zijn als ze ooit een broertje of zusje kreeg. Dat Milly nu nog niet in verwachting was, lag volgens haar ook aan de buren. Door de spanning en stress die hun gedrag met zich meebracht, kwam ze zelf niet voldoende tot rust. Opeens stond ze op. Ze konden haar wat. Ze verpestten haar leven, maar dat liet

ze niet gebeuren!
'We nemen weer kippen,' zei ze 's avonds tegen Jan-Jakob.
'Zeker weten?'
'Ja!'
'Oké, dan rijden we zaterdag naar dezelfde fokker.'
Dat het er echter niet van kwam, had wel een heel vervelende reden.

Vrijdagmiddag zat Fay voor het eerst sinds tijden in haar eentje in de zandbak te spelen. Het deed Milly ontzettend goed om te zien dat Fay zich weer zo vrij voelde. Ze had er al samen met Didi in gezeten, maar nog steeds niet alleen. Natuurlijk had Milly haar direct verteld dat de hond weg was en dat ze dus niet meer bang hoefde te zijn voor het beest achter de schutting. Toch had ze het niet vertrouwd. Nu leek het eindelijk echt tot haar door te dringen dat er geen gevaar meer schuilde achter de ligusterhaag. Ze bakte taartjes voor Ko en was er geconcentreerd mee bezig. Milly had zojuist wat onkruid gewied, maar was eigenlijk van plan om naar de keuken te gaan en aan het eten te beginnen. Ze aarzelde, maar Fay was zo heerlijk bezig, dat het moest kunnen. 'Fay?'
Het meisje keek pas bij de tweede keer dat Milly haar naam noemde, op. Zo druk was ze in haar eigen wereldje bezig.
'Mamma gaat naar de keuken. Ik laat de deuren openstaan zodat ik je kan horen, en ik kan je zien door het keukenraam. Vind je dat goed?'
'Ja, hoor. Ga je eten maken?'
'Dat heb je goed geraden. Heb je zin in vissticks?'
Fay glunderde. Het was een van haar favoriete gerechten.

'Mooi, dan eten we die.'
Milly liep naar de bijkeuken. Ze liet, zoals beloofd, de deur openstaan. Ze vulde het mandje met aardappels en nam ze mee naar de keuken. Ook die deur liet ze openstaan, zodat ze de geluiden van buiten duidelijk kon horen. Misschien was het overdreven, dacht ze nog. Fay was in hun tuin en kon niet weglopen, tenzij ze door de poort naar de straat zou gaan, maar op die poort zat een grendel, waar ze onmogelijk bij kon. Ze maakte zich dan ook geen zorgen of Fay weg zou lopen, maar wel over hoe het meisje zich voelde. Als ze angstig zou worden en haar moeder zou missen, moest Milly bereikbaar zijn en Milly moest haar kunnen horen. Helaas hadden de ervaringen van de afgelopen maanden hen zo gemaakt. Fay was, veel te vroeg, iets van haar onschuld kwijtgeraakt en Milly merkte dat ze een overbezorgde moeder geworden was, terwijl ze die nu juist nooit had willen zijn.
Ze zette het mandje op het aanrecht, van waar ze een prima overzicht op de tuin had en Fay in de zandbak kon zien zitten. Ze schilde de aardappels, deed ze in een pan, spoelde ze af en zette de pan vast op het fornuis. Bij vissticks hoorden worteltjes, vond ze, maar daar hadden ze er niet een meer van. Die had Ko allemaal opgegeten en de nieuwe stonden als miniplantjes in de serre te wachten tot ze in de groentetuin geplant zouden worden. Ze besloot dat rode bieten net zo goed bij vissticks zouden smaken. Daarvan had ze nog een bakje in de diepvries. Bieten uit eigen tuin. Maar juist toen ze naar de bijkeuken wilde lopen, waar de diepvries stond, hoorde ze de telefoon overgaan. Ze keek zoekend om zich heen, maar zag het draadloze toestel niet liggen. Dan stond het op de oplader in de huiskamer. Ze haastte zich ernaar-

toe en nam op. ‘Milly.’
‘Ha, zus, hoe is het?’
‘Prima, ik ben aan het koken.’
‘Dus je hebt niet veel tijd. Dat hoeft ook niet. Ik wilde alleen maar vragen of het uitkomt dat we zaterdag komen en tot zondag blijven. Fay was immers jarig?’
‘Hoe laat zaterdag, want we hebben afgesproken dat we nieuwe kipp...’ Ze werd onderbroken door een verschrikkelijk gekrijs vanuit de tuin. ‘Fay,’ zei ze hees en verbrak in de consternatie de verbinding. Ze rende naar de keuken en naar buiten. Fay stond als aan de grond genageld te gillen. Milly pakte haar beet. ‘Stil maar, meisje, mamma is er nu.’ Ondertussen keek Milly alle kanten op, maar ze kon nergens onraad bespeuren. ‘Wat is er toch? Wees nou maar stil. Ik ben bij je.’
Maar Fay bleef gillen. Ze rilde over haar hele lichaam en hield niet op met krijsen.
‘Vertel het dan,’ zei Milly en tilde haar op, trok haar dicht tegen zich aan en liep met haar naar binnen.
Fay was volkomen hysterisch en bleef schreeuwen.
‘Nu houd je op!’ zei Milly luid en duidelijk.
Fay keek haar geschrokken aan en stopte inderdaad met krijsen.
‘Wat is er gebeurd? Heb je pijn? Vertel het nou aan mamma.’
‘H-h-h...’ Meer kwam er niet uit.
Milly begreep niet wat ze bedoelde. ‘Waar doet het zeer?’
Fay zei niets, keek haar moeder alleen maar aan met ogen aan, waarin doodsangst stond te lezen.
Milly voelde zich afschuwelijk. Wat kon er gebeurd zijn? En hoe kon ze haar helpen als ze niet wist wat er was?

'Ben je gestoken? Was er een vlieg, wesp, mug?'
Maar Fay reageerde niet. Het was alsof ze totaal verstijfd was en niet meer in staat om te lopen. Milly zette haar op de vloer. Toen reageerde ze en klampte zich angstig aan haar moeder vast.
'Oké, we gaan naar boven en daar kleed ik je uit om te zien of je ergens gestoken bent.' Ze tilde haar weer op en liep de trap op. Boven begon Fay iets minder te trillen, maar er kwam nog steeds geen geluid over haar lippen. Ze leek totaal in shock. Milly kleedde haar uit en onderzocht haar uitgebreid, maar ze vond nergens iets dat leek op een insectenbeet. Nu was het voorjaar ook niet de echte tijd dat er gestoken werd, maar iets anders had ze niet kunnen bedenken. 'Fay, vertel nou aan mamma wat er is.'
'H-h-h...' begon ze weer.
'Ja?'
Ze rilde van afgrijzen en zei niets.
Plotseling drong het tot Milly door. 'Hond? Was er een hond in de tuin?'
Fay begon te huilen en Milly begreep dat ze het eindelijk geraden had. Ze stond op en wierp vanaf Fays kamer een blik in de tuin, maar ze zag niets. En ze had ook niets gezien toen ze naar Fay toe gerend was. Er was helemaal geen hond. Hoe kwam Fay erbij? Toch was het een goed teken dat ze nu huilde. De ergste schok was voorbij. Ze tilde haar weer op, hield haar dicht tegen zich aan en nam haar mee naar beneden. Zodra Milly de keuken in wilde gaan, verstijfde Fay weer.
'Meisje, er is geen hond in de keuken.'
Maar Fay begon zich los te worstelen. Ze wilde niet mee naar de keuken.

'Luister, mamma zet je even in de kamer, want de keukendeur moet dicht. Goed?'
Fay klampte zich vast aan haar moeder.
'Je móét me loslaten. Ik ga de keukendeur dichtdoen en de deur van de bijkeuken.' Milly begreep er nog steeds niets van, maar het moest Fay toch geruststellen als de deuren dichtzaten? Ze zette haar op de bank in de huiskamer en maakte haar armpjes los. 'Mamma is zo terug.'
'Nee!' riep Fay nu. 'Niet alleen.'
'Mamma komt zo terug. Ik ga de deuren dichtdoen.' Wat was er in vredesnaam gebeurd dat ze zo in paniek geraakt was? Milly had het gevoel alsof een koude hand haar keel dichtkneep. Ze wist niet of ze ook bang moest zijn voor datgene wat Fay zo angstig gemaakt had, maar ze was zo geschrokken van Fay dat ze zelf ook bijna in paniek was. Toch was totaal niets te zien geweest in de tuin. Ze deed een stap in de richting van de keuken, maar Fay haastte zich van de bank en greep haar moeder beet.
Hoewel Milly enorm medelijden had met haar dochtertje en het vreselijk vond dat ze zo bang en zo ontzettend van slag was, moest Fay nu naar haar luisteren. 'Ga zitten. Ik doe de buitendeur dicht en ben zo terug.' Milly maakte de armpjes rond haar benen los en liep naar de keuken. Een snelle blik door het raam zei haar dat er niets aan de hand was. Toch deed ze zowel de achterdeur als de bijkeukendeur op slot. Nu was het zeker dat er niets of niemand binnen kon komen. Ze haastte zich naar de huiskamer, waar Fay achter de bank gekropen was. Op dat moment zag Milly een bekende auto hun erf oprijden en wist ze dat Jan-Jakob thuis was. Hij zou vreemd opkijken als hij de achterdeur op slot vond en ze

durfde niet opnieuw bij Fay weg te lopen. Gehaast keek ze om zich heen. Blijkbaar lag de draadloze telefoon in de keuken, dus greep ze haar mobiele telefoon die in haar tas in de kamer zat en belde hem op.

'Milly? Ik ben thuis!' riep hij en verbrak de verbinding.

Ze koos zijn nummer opnieuw.

'Wat is er toch?' vroeg hij enigszins geïrriteerd.

'De achterdeur is op slot. Je moet door de voordeur komen. Ik leg het zo wel uit.'

Jan-Jakob vond hen samen op de bank. Hij zag aan het witte gezichtje van Fay dat er iets gebeurd was en keek hen vragend aan.

'Ze is bang geworden voor een hond,' legde Milly uit. 'Het stomme is alleen dat ik nergens een hond gezien heb.' In het kort legde ze uit wat er gebeurd was

Wat Milly al die tijd niet begrepen had, begreep Jan-Jakob in een keer. Met een paar passen was hij boven. Hij gooide de deur van de logeerkamer open en rende het balkon op. Daar stond hij stil en overzag de tuin van de buren bij Bol. Hij kon een flink stuk zien en ontdekte dat zijn vermoeden bevestigd werd. De buren hadden een nieuwe hond. Die had Fay natuurlijk horen grommen of blaffen vanachter de schutting en die had haar zo'n angst ingeboezemd dat ze er hysterisch van geworden was. Deze hond kon net zo goed hun tuin in komen, moest ze gedacht hebben. Dat de schutting er toen nog niet stond, wist ze vast niet meer. Het enige wat ze gedacht moest hebben was dat deze hond haar ook zou bijten. Hij kon haar geen ongelijk geven, want het was niet zomaar een hond. Het was een pitbull.

‘Ik wil hier weg,’ zei Milly, nadat ze eindelijk met grote moeite Fay in slaap hadden gekregen op de bank in de kamer en Jan-Jakob haar vertelde wat hij precies gezien had. ‘Een pitbull in hun handen, dat kan niet goed gaan. Ik wil hier niet langer wonen. Ik kan het niet meer opbrengen. Ik wil weg.’
Jan-Jakob zei niets, maar zette de computer aan. Terwijl hij zocht naar huizen die te koop stonden in hun omgeving en liefst huizen die al leeg waren, belde Milly Kitty terug.
‘Sorry dat ik het gesprek verbrak. Fay was helemaal hysterisch. Je kunt morgen niet komen. We gaan een ander huis zoeken en zetten dit huis te koop.’

HOOFDSTUK 15

Fay leek de volgende morgen een ander kind. Ze was lijkbleek, sprak geen woord en klampte zich voortdurend aan haar moeder vast. Hoewel ze haar 's avonds mee hadden genomen naar hun eigen bed en ze haar tussen hen in gelegd hadden, had het geen rustgevende uitwerking op haar gehad. Ook Milly en Jan-Jakob hadden niet voldoende slaap gekregen, omdat Fay telkens onrustig was en soms met haar armen sloeg of snikkende geluiden maakte.

'Ze droomt ervan,' zei Milly. 'Het gaat echt niet goed met haar. Ik wil de dokter bellen. Misschien dat hij iets kalmerends voor haar heeft.'

Daar wilde de huisarts echter niet aan beginnen. 'Ze is veel te klein voor dat soort medicijnen. Kan ze niet een poosje weg uit haar omgeving, zodat ze nergens meer aan herinnerd wordt?'

'Dat is een uitstekend voorstel,' zei Milly tegen haar man. 'Ze moet vandaag nog weg. Desnoods trekken we tijdelijk in een hotel, al kost dat handenvol geld, maar ik laat haar hier geen nacht meer slapen.'

'Didi?' vroeg Jan-Jakob zich af, maar Milly schudde haar hoofd. 'Die hebben een hond. Daar durft ze al die tijd al niet buiten te spelen en nu waarschijnlijk ook niet meer binnen.'

'Onze vroegere buren uit Delfzijl? Daar kent ze iedereen nog.'

'Hoe lang gaat het duren voor we hier weg kunnen?' vroeg Milly zich af. 'Minstens een maand, maar vermoedelijk veel langer. We kunnen toch niet van onze vorige buren vragen of ze daar al die tijd kan zijn? Dat is een veel te grote opgave. Nee, het zal wel een

hotel worden. Of,' haar gezicht lichtte op, 'misschien is er ergens in de buurt een leeg vakantiehuisje waar we met zijn drieën in kunnen trekken.'
'Vast wel, maar dan spelen we de buren helemaal in de kaart. Het liefst wil ik dit huis niet onbewoond laten staan.' Hij verzonk in gepeins en opeens klaarde zijn gezicht op. 'Ik weet het,' zei Jan-Jakob. 'We brengen haar naar mijn ouders. Ze is immers gek op hen en, wat belangrijker is, daar is alles anders. Ze kan daar niet naar school, maar volgens mij heeft ze nog niet de leerplichtige leeftijd. Een van ons kan naar haar toe in het weekend en ondertussen kunnen we hier huizen bekijken die te koop staan of kijkers binnenlaten om dit huis te laten zien.'
'Dan zie ik haar een hele week niet,' riep Milly uit.
'Maar je weet wel dat het goed met haar gaat. Is dat niet belangrijker?'
Milly knikte aarzelend. 'En denk je dat er iemand te vinden is die hier wil wonen? Naast die afschuwelijke schutting?'
'Als we de prijs flink laten zakken, wel. Het is een prachtig, ruim huis met veel grond. Daar moet iemand voor te vinden zijn.'
'Maar kunnen we ons dat permitteren? Als we op het huis verliezen?'
'Geld is niet belangrijk. We moeten maar zien hoe we ons redden. De gezondheid van Fay is veel belangrijker en trouwens die van jou en mij ook,' vond Jan-Jakob. Hij belde zijn ouders om het hele verhaal uit te leggen. Ze waren meteen bereid om Fay in huis te nemen. 'Ik verheug me er zelfs al op,' zei zijn moeder. Jan-Jakob stelde voor nog diezelfde middag in de auto te stappen om haar te brengen.

'Daar komt niets van in. Wij halen haar. Jullie hebben je tijd veel te hard nodig om naar een ander huis te zoeken.'
'Maar moeder, dan zitten jullie zes uur in de auto!'
'Nou en? Ik kan ook rijden. We wisselen elkaar gewoon af.'
'En misschien gaat het maanden duren.'
'Luister, Jan-Jakob, je hebt het over onze kleindochter. Als wij er iets aan kunnen doen om haar te helpen, dan doen we dat! En vader ... Wacht, ik geef je hem even aan de lijn.'
'Jongen, als het financieel te moeilijk wordt, moet je het zeggen. Wij hebben nog een spaarcentje en we willen graag borg staan voor een nieuwe hypotheek als jullie dit huis niet op tijd kwijt zijn en dus twee hypotheken tegelijk moeten hebben. Denk niet aan geld. Wij helpen wel. Denk alleen aan jullie gezondheid.'
Jan-Jakob moest slikken voor hij antwoord kon geven. 'Dank je, vader,' zei hij ontroerd. 'Ontzettend bedankt.'
'Je bent onze enige zoon, Fay is ons enige kleinkind. Waarom zouden we jullie niet helpen als we het geld hebben? We kunnen het bewaren tot we dood zijn, dan erf je het alsnog, maar ik zie liever dat jullie er nu wat mee doen.'
'Jullie kunnen er zelf wat mee doen,' protesteerde Jan-Jakob. 'Ga eens lekker ver op vakantie, maak een safari-reis. Doe er zelf iets mee!'
'Dat zijn we zeker van plan, maar pas als ik met pensioen ben en dat duurt nog een paar jaar. En dan nog: we helpen jullie liever dan dat wij op reis gaan! Alsjeblieft, neem het geld aan als je het nodig hebt. Je maakt er ons blij mee.'
Met tranen in zijn ogen vertelde hij aan Milly wat zijn vader gezegd had. 'Wat een schatten,' verzuchtte Milly. 'Hoe laat komen

ze? Ik moet maar kleren gaan inpakken voor Fay. Wat moet er allemaal mee? Ook speelgoed?'

Terwijl Milly en Fay boven waren om van alles in te pakken, belde Jan-Jakob naar een makelaar. Ze hadden de avond ervoor een paar woningen gezien die redelijk geschikt leken en hij wilde natuurlijk hun eigen huis te koop zetten. Hij gaf liever niet de echte reden op waarom ze er haast mee wilden maken en hun huis zo snel mogelijk kwijt wilden, dat zou de prijs alleen maar beïnvloeden. 'Ons dochtertje van vier is ooit gebeten door hond,' legde hij uit. 'Nu hebben onze buren een hond aangeschaft en al zit er een schutting tussen hun en ons huis, we horen hem en onze dochter kan daar niet tegen. Ze raakt in paniek en dat is slecht voor haar gezondheid. Daarom willen we hier weg. Wel zoeken we een dergelijk huis, maar zonder naaste buren. Een vrijstaand huis dus, met veel tuin en voldoende slaapkamers.' Hij vertelde dat hij drie interessante huizen op internet gezien had en dat hij die het liefst dit weekend wilde bekijken.

Milly en Fay kwamen de kamer weer in. Het deed hem enorm verdriet om te zien hoe in zichzelf teruggetrokken Fay was. Ze reageerde nergens meer op, was totaal futloos en zei helemaal niets.

'Heb je gezegd dat opa en oma Hoeks haar straks komen halen?' vroeg Jan-Jakob.

'Ja, maar of het tot haar doorgedrongen is, ik weet het niet. Hoe ver ben jij?'

'Vanmiddag om halfvier komt hier een makelaar. Dezelfde van wie we dit huis kochten. Hij wil het graag met daglicht zien. Ik hoop dat mijn ouders dan inmiddels weer zijn vertrokken, zodat

we Fay nergens mee belasten. Daarna gaan we in elk geval met hem nog twee huizen bekijken.'
'Fijn dat je er vaart achter zet.'
'Ben je mal! Het wel en wee van mijn vrouw en dochter gaan boven alles!'
'Ik ga Fays school bellen en daarna Tjeetske, zodat zij aan Didi uit kan leggen waarom Fay maandag niet op school is. Dan heb ik het maar gehad en hoef ik daar niet meer aan te denken.'
'Prima,' zei Jan-Jakob terwijl hij Fay van haar overnam en bij zich op schoot trok. 'Hoi, liefje,' zei hij zacht en drukte een kus op haar haren. Fay reageerde er niet op. Jan-Jakob voelde dat ze nu zelfs hem niet meer vertrouwde en dat was eigenlijk logisch. Hadden hij en Milly haar er niet van verzekerd dat er niets meer was om bang voor te zijn? Dat er geen hond meer achter de schutting woonde? Ze kon zelfs haar ouders niet meer geloven!
Voordat Milly belde, legde hij nog uit welke reden hij aan de makelaar gegeven had om weg te willen. 'Ik kon moeilijk zeggen dat we wegvluchten vanwege de buren. Als dat bekend wordt, raakt hij dit huis nooit kwijt en ik kon ook niet zeggen dat we er spijt van hadden zo afgelegen te gaan wonen, want het liefst willen we toch weer een huis dat zo afgelegen staat?'
Milly knikte. 'Prima, dan zeg ik hetzelfde tegen Tjeetske en de school. Zij hoeven niets over de buren te weten. Dat soort dingen doen snel de ronde en je hebt gelijk, dan raken we dit huis nooit kwijt.' Even voelde Milly zich schuldig naar de eventuele kopers van hun droomhuis, maar dat was maar even. Het witte snoetje van Fay was voldoende voor haar om niemand iets van de buren te vertellen. Ze moesten hier weg en zo snel mogelijk. Dat kon

alleen maar met een halve waarheid.
Terwijl Milly de lerares en Tjeetske belde, zocht Jan-Jakob met Fay op zijn schoot naar huizen die te koop stonden, maar meer dan de drie die hij al gevonden had vond hij niet. Hij stond op en nam Fay mee naar de keuken. Hij zette haar aan tafel en schonk een glas appelsap voor haar in, maar ze weigerde ervan te drinken.

Terwijl Milly en Jan-Jakob de auto van zijn ouders met Fay stonden na te kijken, zagen ze een onbekende auto aan komen. Het bleek de makelaar te zijn. Milly zuchtte. 'We krijgen geen tijd om bij te komen. Ik vind het zo rot dat Fay weg is. Dat is nog nooit gebeurd! Ze heeft nog nooit ergens anders geslapen zonder ons en nu zien we haar minstens een week niet.'
Jan-Jakob sloeg een arm om haar heen en drukte haar stevig tegen zich aan. 'Het is voor het goede doel, moet je maar denken. Ik weet bijna zeker dat Fay morgen al een heel stuk is opgeknapt als ze doorheeft dat ze niet terug hoeft, maar bij opa en oma mag blijven.'
'Dat denk ik ook wel, maar ik mis haar nu al.'
'Nou, nou,' mopperde de makelaar terwijl hij uitstapte. 'Het is er hier niet op vooruitgegaan.' Hij wierp een onderzoekende blik op de schutting rond het huis van Bol. 'Dat zoiets is toegestaan!'
'Ik denk het niet,' zei Jan-Jakob en schudde hem de hand, 'maar wie moet er iets van zeggen?'
'Het bepaalt wel de waarde van jullie huis. Is die schutting overal?'
'Ja, helaas ook langs de hele tuin, al kun je hem daar al bijna niet

meer zien vanwege de hoge haag ervoor.'
'Laat zien.' Ze liepen naar de tuin. Het was redelijk weer. Milly merkte dat de wind de geur van voorjaar met zich meevoerde, maar ze voelde tegelijk dat het haar vandaag niets deed.
De makelaar liep snel door de tuin en kwam weer terug. 'Verder ziet alles er prima uit, beter misschien zelfs dan eerst. Verzorgder. Ik heb de vorige informatie erbij gehaald, dus veel hoef ik hier niet te zien. Mag ik snel even door het huis lopen?'
Ze lieten hem zijn gang gaan. Bij elke seconde die verstreek voelde Milly zich minder goed. 'Ons droomhuis,' fluisterde ze. 'Hij kijkt of we het onderhouden hebben, of we er wel voor gezorgd hebben. Ons huis!' Het huilen stond haar nader dan het lachen. 'Ik was hier de eerste maanden zo gelukkig,' verzuchtte ze.
'Alles ziet er prima uit,' kwam de makelaar vrolijk beneden. 'Wat dat betreft zou de prijs alleen maar hoger moeten zijn dan die jullie betaald hebben, maar die schutting zit me erg dwars.'
'Dus?'
'Gezien het feit dat jullie haast hebben, denk ik dat we minimaal zestigduizend euro onder jullie koopprijs moeten gaan zitten. Misschien zelfs meer. Een aardig verlies voor een tijdsbestek van minder dan een jaar.'
Jan-Jakob was blij dat zijn vader hem 's morgens zijn financiële steun had aangeboden. Een achterdeurtje waar ze misschien gebruik van moesten maken, gezien de opmerking van de makelaar. 'Wat moet, dat moet,' bromde hij.
De makelaar had niet veel tijd nodig en nog voor vier uur reden ze achter hem aan naar het eerste huis dat hij hun kon laten zien. Meteen bij het inrijden van de straat wist Milly al dat dat het niet

was. 'Staat veel te dicht bij de buren. Nee, dit wil ik niet.'
'Wil je je compleet afzonderen van de wereld?' fluisterde Jan-Jakob in haar oor.
'Ja!' siste ze. 'Die wereld kan me op dit moment gestolen worden. Ik ben compleet allergisch voor buren geworden.'
'Hebt u de tuin niet gezien,' vroeg de makelaar opgewekt. 'Zeker honderd vierkante meter meer dan wat u nu hebt, plus een garage, en die had u niet.'
'Nee,' hield Milly vol. 'Hier niet.'
Het tweede huis kwam meer in aanmerking, maar ook dat keurde Milly af.
'Het derde huis dat jullie gezien hadden,' zei de makelaar. 'kunnen we helaas niet bezichtigen omdat ik daar voor dit weekend geen afspraak voor kon maken. Dat kan maandag pas. Jullie horen van mij.'
'Uitstekend, en zoek alsjeblieft verder. U vindt misschien meer dan wij.'
Toch konden ze niet tot maandag wachten en reden ze zondag naar het derde huis toe.
'Dat weten we dan ook weer,' vond Milly. 'Te dichtbij. Een prachtig groot stuk grond, maar de buren staan er zowat bovenop. We moeten iets hebben waar Fay zich veilig kan voelen!'
'Zou je terug willen naar Delfzijl, naar een huurhuis?'
Milly keek hem aan. Ze begon bijna te huilen. 'Lieverd, ik kan er niet tegen. Ik vind het allemaal zo erg. Ik vind het verschrikkelijk dat we ons huis moeten opgeven, maar ik wil het het liefst vandaag al kwijt. Ik wil weg, maar ik wil geen buren meer. Ik ...'
Jan-Jakob sloeg zijn armen om haar heen. 'Milly, we vinden wel

wat. En als we nu niets vinden, moeten we met minder genoegen nemen. Als het Fay maar ten goede komt.'
'Dat ben ik met je eens, maar als we weer in een rijtjeshuis gaan wonen, zoals eerst, hebben we de buren zo dichtbij. Denk je dat Fay daar tegen kan? Denk je niet dat ze bij elk geluid verstart en bang wordt. Zelf kan ik er misschien weer aan wennen dat er geluiden bij de buren vandaan komen, die je dwars door de muren heen hoort als ze schreeuwen of een stoel verschuiven of de wc doortrekken, maar of Fay dat op dit moment kan? Die moet eerst tot rust komen en niemand weet hoe lang dat gaat duren.'
Milly miste Fay ontzettend. Ze had niet verwacht dat dat zo zeer kon doen. Ze belde elke dag en tot haar grote verrassing wilde Fay meteen vanaf de eerste dag al met haar praten. Ze vertelde dat ze met oma naar de winkel was geweest en dat de buren van oma een poes hadden die ze geaaid had. Ze vroeg zelfs hoe het met Ko ging. Het was dus voor Fay een goede beslissing geweest, maar Milly voelde zich erg alleen. Ze begon vast met het inpakken van alles wat op Fays kamer stond, en later ook met andere spullen. Het leidde wat af en des te sneller konden ze verhuizen als ze wel iets gevonden hadden, al leek dat er voorlopig niet op. Misschien was het idee van een vakantiehuisje toch zo slecht nog niet?
In het eerste weekend reed Milly naar Den Haag. Ze vertrok vrijdag direct na haar werk en keerde zondagmiddag terug. Het was een hartverscheurend weerzien. Tot Milly's vreugde praatte Fay honderduit, maar toen Milly haar mee wilde nemen om haar eigen ouders te bezoeken en ook bij haar opa langs te gaan, bevroor de glimlach op Fays gezicht. 'Fay niet,' zei ze.

Het sneed Milly door het hart om haar dochtertje zo te zien. 'We gaan niet naar huis, meisje, we gaan even naar opa en oma Van Berckel en naar oude opa.'
Met tegenzin ging ze mee. Milly voelde dat ze haar niet vertrouwde en bang was dat ze toch naar Meederveld zou rijden. Als dat maar weer goed kwam, dacht ze bezorgd. Wat was er erger dan dat je je eigen ouders niet kon vertrouwen?
Milly's opa was duidelijk verrast met het bezoek. Hij bekeek Fay van top tot teen en knikte goedkeurend. 'Een mooi meisje hebben jullie gemaakt,' zei hij. Milly was verrast om de man zo helder aan te treffen. Van dementie leek totaal geen sprake, maar dat hij de week daarop naar het verzorgingstehuis zou verhuizen, daar zei ze niets over – bang als ze was de man tóch in de war te maken.
Het afscheid op zondagavond was moeilijk. Milly vond het vreselijk haar dochtertje weer alleen te laten en blijkbaar dacht Fay dat ze mee moest naar huis. Ze greep oma bij het been en wilde niet meer loslaten.
'Nee, liefje,' zei Milly, 'je mag hier blijven bij opa en oma.'
'Mamma ook! Mamma, je moet ook hier blijven.'
'Dat wil ik wel, maar dat kan niet. Mamma moet werken, weet je nog?'
Met pijn in het hart reed Milly weer terug naar Meederveld. Jan-Jakob had nog geen enkel ander huis gevonden, wel had hij ijverig onkruid gewied. 'Ondanks alles moeten we de tuin bijhouden, dacht ik. Dat is het minste wat we kunnen doen voor de nieuwe bewoners, maar ...' Hij zuchtte. 'Die hond is echt om bang van te worden. Hij zit vast, dat weet ik inmiddels zeker, maar af en toe

gromt hij zo, dat ik denk dat zelfs zijn eigenaren niet dicht bij hem in de buurt durven komen. Als die ooit een keer los komt ... '
Maandag belde de makelaar Milly op haar werk. 'Sorry dat ik u stoor, maar ik had begrepen dat u korter werkt dan uw man en dus eerder thuis bent,' zei hij.
'Ja, hoezo?'
'Ik heb kijkers. Komt het uit vanmiddag om vier uur?'
'Geweldig. Ik ben er.'
Plotseling voelde Milly zich weer wat kwieker. Het zou fantastisch zijn als ze het verkochten. Al was het voor minder, twee hypotheken tegelijk zou, ondanks het aanbod van haar schoonouders, onbetaalbaar zijn.
Ruimschoots op tijd parkeerde ze haar auto naast het huis. Cornelia kwam naar buiten. 'Buurvrouw,' begon ze, 'wat is er aan de hand. Ik heb Fay al dagen niet meer gezien.'
'Fay logeert bij haar grootouders in Den Haag.'
'Zonder jullie?'
'Inderdaad en sorry, tijd voor een praatje heb ik vandaag niet.'
Cornelia keek haar nors na. Niet dat Milly dat zag, maar ze voelde de blik in haar rug. Ze had geen zin om te vertellen wat er aan de hand was en wilde al helemaal niet laten blijken dat ze om de buren gingen verhuizen. De nieuwe bewoners zouden dat direct weten en dat moest voorkomen worden.
Ze keek snel even rond in huis, legde wat tijdschriften recht, deed de ontbijtkopjes in de afwasmachine en zette het koffiezetapparaat vast klaar om koffie te zetten.
De kijkers, een echtpaar van rond de zestig, was direct enthousiast. 'Precies wat we zoeken,' zei ze opgetogen. 'Mijn man gaat

binnenkort met pensioen en het was altijd onze droom om tegen die tijd op het platteland te gaan wonen. Alleen die schutting, die is niet om aan te zien. Kunnen we daar niets aan veranderen? Wat zijn dat voor lui die hiernaast wonen?'

Milly kreeg het benauwd. Ze wilde liefst niet liegen, want het was boven verwachting dat meteen de eerste kijkers het huis zagen zitten. 'Het zijn twee jongemannen die bijzonder op zichzelf zijn. Ze houden niet van contact met de buren en willen hun eigen gang gaan.'

'Heb, ik niets op tegen,' zei de man, 'maar ze moeten begrijpen dat het geen gezicht is.'

'Dat weten ze wel,' zei Milly, 'maar zij vinden het zo mooi genoeg en willen er niets aan veranderen. Het is hun huis en hun grond, zeggen ze.'

'Nou ja,' vond de vrouw, 'nog even en de ligusterhaag groeit erbovenuit en zien we er in de tuin niets meer van.'

'En wij hebben klimop geplaatst tegen de schutting aan de voorkant. Dan groeit die vanzelf dicht.'

'Dat is een idee. We zouden er veel meer tegenaan kunnen zetten. Clematis of zo, of bruidssluier. Die groeit altijd lekker hard. De koopprijs staat ons in elk geval aan. Veel lager dan andere huizen. Is dat vanwege die schutting?'

'Onder andere,' gaf Milly toe. 'De tweede reden is omdat we hier snel weg willen. De buren hebben laatst een hond genomen. We hebben hem nog niet gezien, ze houden hem keurig in hun tuin, maar ons dochtertje is panisch voor honden en zodra ze hem hoort blaffen, krimpt ze in elkaar. Ze durft nu niet meer buiten te spelen.'

‘Daar ga je toch niet om verhuizen?’ vroeg de man enigszins geergerd. ‘Zo maak je het je kind wel erg gemakkelijk en moet je straks elke week verhuizen.’ Hij schudde zijn hoofd over zoveel domheid.
‘Het is onze beslissing,’ zei Milly. ‘Wilt u koffie?’
‘Laten we dat maar doen,’ zei de man. ‘Kunnen we het meteen over de prijs hebben.’
Milly schonk koffie in en ze dronken het in de keuken.
‘Schitterende keuken, zo ruim! Maar de serre is ook niet mis,’ vond de vrouw.
‘We bieden tienduizend euro minder dan jullie vragen,’ zei de man.
‘Sorry,’ zei Milly zonder naar de makelaar te kijken. ‘De vraagprijs is al ons minimum. Lager gaan we niet.’
‘Dan bieden we de vraagprijs,’ zei de vrouw. ‘We kunnen nergens anders een huis met zo veel grond voor zo weinig geld krijgen. Deal.’
Haar man keek haar nu geërgerd aan en de makelaar probeerde een grijns te verbergen. Milly’s hart maakte een sprongetje van blijdschap, maar ook zij probeerde ernstig te blijven. ‘Geweldig, mevrouw. Afgesproken dus.’
Jan-Jakob wist niet wat hij hoorde. ‘Verkocht? Voor onze vraagprijs. Ik had nog best twintig duizend willen zakken!’
Milly straalde. ‘Ik voelde dat ze het ervoor over hadden en heb mijn poot stijf gehouden. Het is nog steeds vijftig minder dan we er vorig jaar zelf voor betaald hebben.’
‘Jij had in zaken moeten gaan.’ Hij was diep onder de indruk. ‘Wanneer?’

‘Ze willen er over vijf weken in. Op 1 mei.’
‘Dat is snel en het houdt in dat wij nog harder moeten zoeken. Hoewel, we kunnen desnoods inderdaad tijdelijk een vakantiehuisje huren.’

Die avond belde Tjeetske. ‘Didi vraagt elke dag naar Fay. Kan ik haar al iets positiefs melden?’
‘Voorlopig komt ze niet terug. Zeker niet voor 1 mei,’ zei Milly zuchtend. ‘En de kans is groot dat ze nooit meer bij Didi op school komt.’
‘Dat meen je niet! Didi was juist zo blij met haar. Misschien kan ik er iets aan doen dat ze weer terugkomt op school.’ Er volgde een geheimzinnig lachje.
Milly trok haar wenkbrauwen op. ‘Hoe?’
‘Tja, ik weet niet wat er precies aan de hand is en waarom jullie willen verhuizen en waarnaartoe, maar ik weet wel een alleraardigst huisje leegstaan niet zo ver bij ons vandaan en het valt nog onder het gebied van Didi’s schooltje. Dus?’
‘Wij hebben helemaal niets gevonden,’ zei Milly verbaasd, maar tegelijk gespannen van verwachting. ‘Waar en wat?’
‘Het staat niet te koop, je kunt het huren. En ik zei niet voor niets huisje, want het is nogal klein en misschien zochten jullie daar niet naar, maar het staat al leeg en ligt redelijk in de buurt. Ik hoorde het bij toeval vandaag. Dat is de eigenlijke reden waarom ik bel. Ik was bij de buren op bezoek en daar was een familielid van haar. Die had het huis geërfd van zijn vader, die vorige maand overleden is. Het staat in een bosperceel. Heel afgelegen en eenzaam. Er zijn geen weidse uitzichten, zoals wat jij telkens

zo prachtig vindt. Dus ik weet niet ...'
'Vertel verder,' zei Milly gespannen, want de woorden afgelegen en eenzaam trokken haar direct aan.
'Oké. Het huisje is nu van hem, maar hij weet niet wat hij ermee moet. Hij wil er zeker niet gaan wonen, daar is hij van overtuigd, maar of hij het wil verkopen? Daar is hij nog niet uit. Het is tenslotte van zijn vader geweest. Hoe dan ook, hij wil het zonder meer voor een jaar verhuren. Dan zou jij mooi een poos uit de brand zijn. Hebben jullie tijd genoeg om te kijken wat je nou echt wilt. Fay kan weer thuiskomen en naar school gaan. Dus ...?'
'Dus? Joh, dit klinkt geweldig. Je hebt gelijk, dan zou Fay weer terug kunnen komen. Ik mis haar zo erg!'
'Zal ik je zijn telefoonnummer geven?'
'Graag!'
Milly noteerde het nummer en keek ondertussen naar Jan-Jakob, die begreep dat er iets belangrijks besproken werd en haar vol verwachting aankeek.
'Het staat al leeg?' vroeg Milly voor de zekerheid aan Tjeetske.
'Ja, hij heeft het al helemaal leeggehaald, maar, Milly, het staat echt erg eenzaam, zonder buren. Wil je dat?'
'Dat is precies wat we zoeken.'
'Dat zei je, ja, maar waarom? Waarom wil je geen buren?'
'Dat vertel ik je nog een keer, Tjeetske. Dat is een lang verhaal waar ik nu geen zin in heb, maar je wordt hartelijk bedankt. Lief van je dat je met ons meedenkt.'
'Puur eigenbelang,' grinnikte ze.
Jan-Jakob die de helft van het gesprek verstaan had, zette de computer nu aan. 'We kunnen in elk geval kijken waar het ligt.'

‘Ik zou er nu wel naartoe willen,’ zei Milly.
‘Het is te donker, dat kunnen we beter niet doen.’
‘Maar we kunnen nu nog wel bellen voor een afspraak.’
De eigenaar kon niet eerder dan vrijdag met hen naar het huisje gaan. Zo lang konden Milly en Jan-Jakob niet wachten. Meteen de volgende dag uit hun werk reden ze naar het opgegeven adres. Ze reden door een openstaand hek en zagen in eerste instantie alleen maar bomen. Toen kwam het huisje in beeld.
‘Wat schattig!’ riep Milly uit.
‘Inderdaad,’ vond Jan-Jakob ook, ‘maar ook klein en vast al meer dan honderd jaar oud.’
‘Te klein om logees te ontvangen,’ zei Milly ietwat teleurgesteld. Ze stapten uit en liepen om het huisje heen, tuurden door de kleine ramen naar binnen.
‘Dit is niet wat ik ooit gedroomd heb,’ zei Milly, ‘maar hoor je al die vogels fluiten en zingen? Het is een schitterend mooi plekje.’
‘Maar uitzicht heb je niet.’
‘Jawel, op bomen en wie weet op vogels. Je kunt alleen door al die bomen niet in de verte kijken.’
‘En naaste buren zijn er niet. Je kunt roepen wat je wilt, niemand hoort je. Wil je dat?’ Jan-Jakob keek zijn vrouw onderzoekend aan.
‘Joh, dit is een plaatje! Met die luikjes voor de ramen.’
‘Ze hangen scheef. Wie weet hoe scheef de rest van het huisje is en zou er wel ruimte zijn voor ...’ Even aarzelde voor hij zijn zin afmaakte: ‘Voor meer dan één kind?’

Vrijdag, aan het eind van de middag, liepen ze er opnieuw. Milly

en Jan-Jakob hadden eigenlijk samen naar Den Haag willen gaan, maar dat stelden ze nu uit tot de volgende dag.
Boven bleken slechts twee slaapkamers te zijn. Maar Jan-Jakob had bedacht dat er buiten ruimte genoeg was om een houten huisje neer te zetten, dat je zo bij een bouwmarkt kon kopen. 'Daar kunnen de logees in slapen. Die huisjes zie je overal in Scandinavië te huur staan voor vakantiegangers, dus waarom hier niet?'
'En mocht ik het toch willen verkopen en mochten jullie het willen hebben,' zei de eigenaar, 'kun je er prima een kamer bij aan bouwen. Daar was zelfs al toestemming voor. Mijn moeder werd namelijk ziek en ze kon de trap niet meer op. Mijn vader heeft bij de gemeente gevraagd of hij er beneden een kamer bij mocht bouwen en dat mocht. Helaas overleed mijn moeder erg snel en is het er niet meer van gekomen, maar het mag wel.'
Maar dat kon alleen als hij het wilde verkopen, dacht Milly. Een tweede kind moest dan maar voorlopig bij hen op de slaapkamer, want Fays kamer was amper groot genoeg voor haar nieuwe bed. Nou ja, ze was helemaal niet zwanger en dit was een ideale plek voor Fay om bij te komen van alle narigheid.
'Het huis ziet er prima uit,' vond Jan-Jakob. 'Klein, maar keurig. Alleen hangen de luikjes scheef.'
'Die zitten los, dat is alles. Ik zorg ervoor dat ze stevig aan de muur gezet worden. Heb je de badkamer gezien? Die is zelfs modern te noemen. De stroomvoorziening voldoet ook aan de huidige eisen. Mijn vader was van plan er een schitterend huis van te maken. Er zit zelfs een intercom bij het hek en hier en daar zitten lampen die op bewegingssensoren werken. Zolang die niet branden, is er geen vreemd volk op het terrein. Alleen is het wel

lastig als jullie hier een hond vrij hebben rondlopen.' Hij lachte. 'Mijn ouders hadden hier een hond. Daarom hebben ze rond het hele terrein een afrastering neergezet, zodat hij volkomen vrij kon lopen. Als je het hek sluit, kan hij er dus beslist niet uit. Maar hij zet wel de lampen aan als hij daar 's avonds langsloopt. De eerste keer schrok mijn moeder zich een ongeluk. "Er is een indringer op ons erf," riep ze naar mijn vader. Maar dat was hun eigen hond.'

'Er kunnen daardoor ook geen vreemde honden het erf op komen,' mompelde Milly voor zich uit.

'De tuin is behoorlijk verwilderd,' zei de man.

'Het is meer een bos,' vond Jan-Jakob, 'maar eigenlijk staat dat me prima aan.'

'Je kunt er je eigen hout voor de houtkachel in de kamer sprokkelen of hakken. Er ligt trouwens een hele stapel hout in het schuurtje, dus als jullie hier van de winter nog zitten, kom je die makkelijk door.'

Milly had gezien dat er ook centrale verwarming was. Hij had gelijk, het huisje was erg oud, maar toch van moderne gemakken voorzien. 'We doen het,' zei ze. 'We gaan hier wonen!'

HOOFDSTUK 16

Aan de verkoop van hun huis in Meederveld hielden ze geen cent over. Al het spaargeld dat ze in de aanschaf gestopt hadden, raakten ze kwijt en de rest van de opbrengst ging naar de bank om de hypotheek af te lossen, maar de ouders van Jan-Jakob zeiden: 'Als we jullie zesduizend euro geven, hoef je er geen belasting over te betalen. Het wordt dan gezien als een gift en dat is het ook. We hebben het bedrag al overgemaakt!'
Van dat geld konden ze de verhuizer betalen en een prachtige, ruime, houten blokhut kopen, die vanzelfsprekend niet alleen bedoeld was voor logees, maar die ze in zouden richten als een huiskamer, waar ze overdag heerlijk konden verblijven. Het zou schipperen worden met de ruimte, maar Milly verheugde zich op de dag dat ze er zouden gaan wonen.
Ze hadden meteen al de sleutel gekregen en hadden daarom nog even tijd voordat ze hun huis in Meederveld moesten verlaten en dat was wel zo prettig. Alle kamers moesten behangen en geschilderd worden, al betekende "alle" niet meer dan de huiskamer, de keuken, een redelijke slaapkamer en een kleine slaapkamer. De vorige bewoners hadden van grote, opzichtige bloemen gehouden en Milly vond dat afschuwelijk staan. Gewoon wit behang was het beste, daardoor leken de kamers tenminste iets groter. Op de kozijnen zat bruine verf, hetgeen alles een sombere indruk gaf. Gelukkig had de verhuurder er geen enkel probleem mee als ze ander behang gingen plakken of de kozijnen zouden schilderen. Zelf hield hij zich aan zijn woord en zorgde hij ervoor dat de luiken netjes recht kwamen te hangen.

Jan-Jakobs vader kwam een weekend over om hen te helpen, zodat ze er zo snel mogelijk in konden. Milly miste Fay ontzettend, maar besloot dat ze toch een weekend zou overslaan. Des te eerder konden ze verhuizen. Ze had op staande voet ontslag genomen op haar werk. Dat werd haar niet in dank afgenomen, maar op het uitzendbureau verklaarde ze dat het door persoonlijke omstandigheden was, en dat ze niet anders kon. Ze hoopte met een paar weken weer aan de slag te kunnen, als ze tegen die tijd nog werk voor haar hadden natuurlijk. Haar geld was hard nodig, omdat ze wilden sparen om óf het huisje te kopen en die ene kamer, die erbij gebouwd mocht worden, daadwerkelijk te laten bouwen, óf een ander huis te kopen. Maar voorlopig zouden ze het met deze beperkte ruimte doen. Buiten was er ruimte in overvloed en al was het volkomen anders dan hun tuin in Meederveld, Milly merkte dat het haar desondanks enorm beviel. Het was zoals Jan-Jakob had gezegd, het leek wel een bos en of ze nu aan het behangen was of lekker uit zat te rusten op een tuinstoel, altijd hoorde ze vogels zingen of roepen.
Direct achter het huisje was een terras en links daarvan was een stukje kale grond. Milly was van plan dat in te gaan richten als groentetuin. Ze had de smaak goed te pakken gekregen van eigen groente. Ook zou ze erg graag weer een paar kippen willen hebben. Omdat ze hier nergens weg konden lopen vanwege de afrastering, dacht ze dat hier een nachthok voldoende zou zijn. Dat hield in dat de kippen vrij rond konden scharrelen. Ze kon haast niet wachten om ze aan te schaffen.
Maar eerst moesten er bedden in huis staan, zodat Fay terug kon komen. Daarna kwam de rest pas.

Op 25 april zaten ze alweer bij de notaris. Het was nog geen jaar geleden dat ze hun droomhuis gekocht hadden, maar Milly zette met veel genoegen haar handtekening onder de verkoopakte. Ze keek toe hoe meneer en mevrouw Hofhuis, de nieuwe bewoners, ook hun handtekening zetten en even bekroop Milly een schuldgevoel. Waar begonnen ze aan? Zij wisten van niets, Milly wist juist heel veel. Ze had het moeten vertellen om hen te waarschuwen. Tegelijk dacht ze aan Fay, die ze nu al drie hele weken niet gezien had. Nee, praatte ze haar schuldgevoel weg, het is goed zo. Voor Fay is het goed en dat is het belangrijkste.
Na de ondertekening reden ze allemaal naar het huis in Meederveld. Een paar mannen waren bezig alle meubels en dozen in de verhuiswagen te laden. 'Ik ga naar Cornelia,' zei Milly. Jan-Jakob liep mee.
'Kom nog eens langs,' zei de buurvrouw. 'Ik ga jullie missen.'
'Meneer en mevrouw Hofhuis zijn mensen van uw leeftijd. U kunt het vast prima met hen vinden.'
'Gaan we ook bij de anderen langs?' vroeg Jan-Jakob nadat ze weer naar buiten gegaan waren.
Milly keek de straat in en schudde haar hoofd. 'Nee, voor mij hoeft het niet. Ze waren aardig, maar toen we ze het hardst nodig hadden, lieten ze ons alleen. Laat maar.'
'Oké, dan gaan we. De verhuizers lijken ook klaar.'
Milly liep nog even het huis in, vond de nieuwe bewoners en schudde hun de hand. 'Veel plezier in dit huis,' zei ze en stak hun een briefje toe. 'Hier staat ons telefoonnummer op en ons nieuwe adres. We hebben natuurlijk iedereen een adreswijziging gestuurd en ook alle instanties op de hoogte gebracht, maar

mocht er ondanks dat toch post voor ons komen, wilt u dat dan doorsturen of ons laten weten dat we het moeten komen halen?'
Milly voelde zich weemoedig worden. Zo lang had ze van een dergelijk huis gedroomd en ze was hier zo gelukkig geweest. Het was de mooiste tijd uit haar leven geweest. Nu moest ze dat hoofdstuk afsluiten. Omdat het geluk van haar dochtertje belangrijker was. Trouwens, zelf kon ze toch ook niet meer gelukkig zijn in Meederveld met die verschrikkelijke mannen in het huis van Bol?
Ze stapte in haar auto, stak haar hand op naar Cornelia die voor het raam stond en reed weg. Jan-Jakob zou tegelijk met de verhuiswagen vertrekken en de verhuizers de weg wijzen, want erg gemakkelijk was hun nieuwe stek niet te vinden.
Onverwachts stapte Patrick van de stoep de straat op. Milly remde en de auto kwam tot stilstand. Ze opende het raampje aan haar kant.
'Wilde je zonder afscheid te nemen, vertrekken?' vroeg hij fronsend.
Ze haalde haar schouders op.
'Weten die nieuwe mensen wel van de herrie 's nachts?'
'Patrick, het ga je goed en vooral veel succes met je kunst.'
'Ja, wacht eens even. Ik wil jullie nieuwe adres. Ik heb nog steeds geen foto's van Fay kunnen maken. Ik heb haar zelfs al weken gemist.'
Was het haar weemoedige en tevens opgeluchte gevoel dat haar parten speelde? Waren het de buren die de hele straat een luguber aanschijn gaven? Of was het inderdaad zo dat Patrick op jonge meisjes viel? 'Sorry, Patrick, Fay is al weken ziek en die foto

moeten we maar laten zitten.'
Ze wilde niet weten hoe hij reageerde, ze wilde opeens weg, weg uit die straat, weg van de plek waar Fay en zij zo bang geweest waren en zo ongelukkig. Ze trapte het gaspedaal in en verdween in de richting van het kleine, oude huisje, dat vanaf die dag hun nieuwe woning was.

Op 26 april kwamen Milly's ouders en op de achterbank zat Fay. Tot Milly's verrassing hadden zij namelijk aangeboden de kleine meid te brengen. Ze waren nieuwsgierig naar het huis en moeder had gezegd dat ze niet weer zo lang wilde wachten om het te komen bekijken. Jan-Jakobs vader was al geweest en zijn moeder zou binnenkort een keer komen. Als ze maar niet bovenin het stapelbed hoefde te liggen, had ze eraan toegevoegd. 'Zo lenig ben ik niet meer.'
Fay was zo blij dat ze eindelijk haar moeder weer zag, dat ze daardoor totaal vergat angstig om zich heen te kijken. Ze sloeg haar armpjes om Milly heen alsof ze haar nooit meer los wilde laten.
Jan-Jakob deed het hek dicht dat hun terrein afsloot en voegde zich bij de anderen.
'Pappa, pappa!'
Hij tilde haar hoog in de lucht en trok haar vervolgens dicht tegen zich aan. 'Meisje, wat fijn dat je weer bij ons bent.'
'Kom,' zei Milly, 'gaan we meteen naar Ko toe.'
Dat was het moment waarop Fay zich alles weer herinnerde. Terwijl Milly juist gedacht had dat ze het heerlijk zou vinden het konijn weer te zien, bevloog haar opnieuw de angst van de tuin in

Meederveld. Ze had het verkeerd aangepakt. Ze greep Fays hand en zei: 'Ko staat hier. Hij woont nu in een andere tuin. Kom mee.'
Fay verzette echter geen stap en Milly tilde haar op, liep om het huisje heen en daar stond het hok. Ze zette Fay ervoor en ging door de knieën om op gelijke hoogte te komen. 'Hij heeft honger. Zullen we hem paardenbloembladeren geven?'
Ze keek verrast om zich heen. 'Mag hij hier wonen?'
'Ja!'
Ze keek van Milly naar Jan-Jakob naar haar grootouders.
'Is dat goed?' vroeg Milly.
'Ja, ja,' zei ze. 'Waar zijn de bladeren?'
Milly zuchtte opgelucht. De eerste stap was gezet. 'Jij mag hier ook wonen. Lijkt je dat wat? Je bed slaat al in huis. Wil je het zien?'
Nadat ze Ko gevoerd hadden, gingen ze het huis in en de trap op. Fay herkende al haar eigen spullen. Ze pakte een grote knuffelbeer van het bed en hield hem stevig vast.
'Nu mag je hier slapen, want nu is dit ons huis,' verduidelijkte Milly. 'En in deze kamer slapen pappa en mamma. Vlakbij, zie je dat?'
Ze nam haar weer mee naar beneden, waar de anderen op het terras zaten en koffiedronken, maar Fay liep naar Ko. 'Mag hij eruit?'
'Dat mag, hoor, maar je moet hem goed vastzetten. Als hij los zou raken, vinden we hem nooit meer terug tussen de bomen en struiken.'
Fay keek zoekend om zich heen. 'Waar is de schommel?'
'Er is hier geen schommel, meisje, maar er is wel iets anders.

Kom maar eens kijken.' Milly pakte haar bij de hand en nam haar mee naar een hangmat, die ze tussen twee bomen hadden opgehangen. 'Het is een beetje lastig om erin te klimmen, mamma helpt je wel, maar het is heel leuk om erin te liggen.'
Fay vond het griezelig, maar Milly had nog een verrassing. 'Kijk, dit is een wigwam, jouw tent. Daar kun je met je poppen spelen.'
Naast de tent was een zandbak, die ze voor haar gekocht hadden. Als ze zich zo niet kon vermaken, dacht Milly, terwijl ze naar haar dochtertje keek. Wat had het meisje een angst gekend. Ze hoopte dat dat nu voorgoed verleden tijd was. Het begon in elk geval goed, want Fay vond de wigwam prachtig en vroeg of ze daarin haar limonade mocht drinken.
'Wil je hier echt wonen?' vroeg haar moeder zachtjes, toen Milly zich bij hen op het terras gevoegd had en ook een kop koffie uit de thermoskan nam.
'Ja, het is hier een geweldige plek, zo rustig en zo veel vogels. Fantastisch.'
'Maar je kunt binnen je kont niet keren!'
Dat was overdreven, maar ruim was het inderdaad niet. Hun ronde tafel, waar Milly geen afstand van had kunnen doen, stond nu in "de hut", zoals ze de houten blokhut noemden, die ze al aangeschaft hadden. Daar konden ze heerlijk zitten om te eten en op die manier was er in de huiskamer voldoende ruimte voor hun bankstel en de televisie. 'Maar dat gesjouw met je pannen en borden!' riep haar moeder uit.
'Als het niet bevalt, kunnen we altijd nog de boel anders inrichten, mamma. Voorlopig houden we het zo. Er is elektriciteit in de hut. Ik verheug me erop om daar te zitten eten.'

'En als je logees krijgt?'
'Desnoods zetten we een tent neer voor de kinderen. In de hut staat het stapelbed. De andere bedden staan opgestapeld in de schuur. Daar is inderdaad geen ruimte voor, maar we wonen hier niet voor de logees, we wonen hier voor onze rust en vooral voor die van Fay.'
Milly's moeder schudde haar hoofd. 'Ik begrijp jullie niet. Nu wonen jullie nog eenzamer. Ben je niet bang dat je hier wat gebeurt?'
'Hoe zou er hier iets kunnen gebeuren,' zei Milly, 'als we het hek gesloten laten? Maar nu vertel je over opa. Hoe ging de verhuizing en bevalt het hem in zijn nieuwe kamer?'
'Die kamer is ongeveer net zo groot als in het bejaardentehuis, dus alles kon gelukkig mee. Hij had al zo veel weg moeten doen toen hij naar het bejaardentehuis vertrok. Nu kon hij alles houden. Opa was zichtbaar tevreden dat hij tussen zijn eigen spullen zat, maar verder begreep hij er niet veel van. In dit tehuis doen ze veel meer met de mensen. Hij wordt elke dag opgehaald en naar de gemeenschappelijke huiskamer gebracht. Hij weet niet wat hij daar moet doen, al stimuleren ze hem erg om bijvoorbeeld mee te doen met een spel. Ik wilde er niet aan, maar ik moet nu toch toegeven dat ik blij ben dat hij daar zit. Hier wordt hij goed verzorgd en in de gaten gehouden. Ik ga nog steeds elke dag naar hem toe, maar ik hoef hem niet meer te helpen met het eten. Dat doen ze daar en met plezier. Het was een goede beslissing. Ik hoef me minder zorgen te maken, al is opa wel meer in de war dan eerst. Van de week noemde hij mij zuster. Hij wist niet dat ik het was. Gisteren riep hij weer heel blij: "Babs, wat leuk dat je er bent!"

Dat is behoorlijk verwarrend en daarom ben ik er toch tevreden over dat hij nu daar zit.'

De dag erop kwamen Tjeetske en Didi langs. De twee kleine meisjes vlogen elkaar in de armen. Het was een ontroerend gezicht.
'Kom je nu ook weer op school?' vroeg Didi.
Fay keek haar moeder vragend aan.
'Ja, maandag komt Fay weer op school.'
'Jippie!' riepen ze in koor.
Het deed Milly goed dat Fay zich op school verheugde. Dat was duidelijk een vertrouwde omgeving, een plek waar ze zich op haar gemak voelde. Net als in dit nieuwe huis.
'Ko!' riep Didi uit en wilde wegrennen.
'Kom mee,' zei Fay en trok aan Didi's jasje. 'Ik heb een tent.' Ze dook de wigwam in en Didi volgde haar. Toch kroop ze al snel weer naar buiten en liep naar het konijnenhok. Ze ging dolgelukkig op haar hurken zitten en deed het deurtje open.
'Je zou haast denken dat ze Ko nog meer gemist heeft dan Fay,' zei Milly met een knipoog. 'Grapje, hoor. Ik weet dat het niet zo is.' Ze haastte zich naar het konijnenhok toe om Ko het tuigje aan te doen.
'Bevalt het hier?' vroeg Tjeetske belangstellend, terwijl ze een slokje van de hete thee nam.
'Ik denk het wel. Ik ben je in elk geval ontzettend dankbaar dat je met dit idee kwam. Totaal anders dan wat ik in mijn hoofd had, maar prachtig. Fay heeft vannacht ook goed geslapen. We hebben wel de babyfoon aangezet, zodat ze ons kon roepen, maar dat

heeft ze niet gedaan.'
'Ze ziet er ook erg goed uit. Ze heeft een gezonde kleur op de wangen.'
'Ja, al heeft ze ons behoorlijk gemist, die weken bij mijn schoonouders hebben haar goed gedaan.'
'En dat allemaal door een hond?'
'Niet alleen, dat was de druppel.' En ondanks dat Milly het niet had willen vertellen, kwam nu toch het hele verhaal eruit. Het verhaal over de hondenbeet, het schofterige gedrag van de buren, de schutting, de bekraste auto van haar zwager, de steen door de ruit, de hondenpoep in de voortuin, de kippen die losgelaten waren. Alles vertelde ze. 'Maar Tjeetske, alsjeblieft, vertel het niet verder. Ik voel me zo rot naar de nieuwe bewoners toe. Ik had het ze moeten vertellen, maar durfde niet, omdat ik ons huis wilde verkopen. We móésten daar weg, begrijp je? Dus vertel het niet door.'
'Meid, ik schrik van dit hele verhaal. Logisch dat je weg wilde. Die mensen die jullie huis kochten, hebben in elk geval geen klein kind. Dat scheelt misschien een boel.'
Milly glimlachte haar dankbaar toe en suste haar slechte geweten met die opmerking.
'Hoor je dat?' zei Tjeetske opeens. Ze stak haar vinger in de lucht en bleef doodstil zitten.
Milly wist niet wat ze moest horen.
'Een specht,' fluisterde Tjeetske. 'Hij klopt op een boom.'
Toen hoorde zij het ook. 'Wat leuk! Zou die hier ergens een nest gaan bouwen?'
'Heel goed mogelijk, maar hij kan ook gewoon op zoek zijn naar

voer. Doordat hij op de boomstam klopt, komen er insecten uit gekropen en die vindt hij lekker.'

Of de specht inderdaad een nest bouwde in "hun" bos, daar kwam Milly niet achter. Ze hoorde hem geregeld kloppen en ze zag hem zelfs een keer tegen een boom zitten. Wel zag ze andere vogels druk in de weer met nestmateriaal. Wat dat betreft waren ze daar in het goede jaargetijde komen wonen.
'Ik weet niet hoe al die vogels heten,' zei ze op een avond tegen Jan-Jakob, terwijl ze buiten zaten op het terras, 'maar er wordt wat afgebouwd in dit bos.'
'En hoe staat het met óns nestje? Is dat naar tevredenheid?'
'Jan-Jakob, als je dat nu nog niet weet.' Milly straalde. 'Fay is hier zo gelukkig. Ze speelt elke dag in de wigwam. Vaak neemt ze Ko mee. Zijn lijn is precies lang genoeg om haar tentje in te kunnen. En de kippen vermaken zich hier ook. Het is zo opwindend om in het bos naar hun eieren te zoeken. Ik geniet hier volop. Alles is anders, behalve het geluksgevoel dat ik de eerste maanden had in Meederveld. Dat is hier net zo.'
'Wat heerlijk om dat te horen,' zei hij met een warme blik in de ogen. Al wist hij dat hij het niet had hoeven vragen. Hij zag het elke dag aan haar. Van angst of spanning was niets meer op haar gezicht te lezen, haar ogen stonden nooit meer somber, maar altijd blij en warm. En in bed kon ze ook weer van hem genieten, en hij van haar.
'Mamma, pappa, wat is dat?' Fay riep hen vanuit haar wigwam en wees naar een boom.
Ze volgden haar vinger.

‘O, wat schattig,’ verzuchtte Milly. ‘Wat geweldig leuk.’
‘Een eekhoorn, Fay, het is een eekhoorn,’ zei Jan-Jakob. ‘Die woont in dit bos.’
‘Mooier kunnen we het niet krijgen,’ verzuchtte Milly. Ze stak haar hand uit naar Jan-Jakob en trok hem naar zich toe. ‘Ik hou van je,’ zei ze. ‘Dit huisje en deze plek maken me gelukkig, maar zonder jou zou ik zelfs hier niet gelukkig zijn.’

HOOFDSTUK 17

Het was donderdag en herfstvakantie. Milly zat op de veranda van "de hut" en keek om zich heen. Ze voelde zich heerlijk en ze wist dat ze zich zo gevoeld had vanaf het moment dat ze hier kwamen wonen, een halfjaar geleden nu. Intens tevreden liet ze haar handen op haar buik rusten. Fay was nergens te bekennen, maar dat verontrustte haar niet. Weglopen kon ze niet vanwege de afrastering. Zich bezeren was natuurlijk wel mogelijk als ze gekke dingen ging uitspoken zoals in een boom klimmen, maar ondanks dat Fay haar levenslust weer helemaal terug had, was Milly er zeker van dat ze dat soort dingen niet deed. Het eekhoorntje was een vaste gast geworden. Ze zagen het bijna elke dag, hoewel Milly er niet zeker van was dat het steeds dezelfde was.

De afgelopen dagen was haar zus Kitty op bezoek geweest met haar gezin. Kitty en Simon hadden in de hut geslapen. Voor de twee jongens hadden ze een tentje opgezet en hun dochtertje had bij Fay op de kamer geslapen, waar ze met enige moeite een luchtbed hadden neer kunnen leggen. Vooral de jongens hadden enorm genoten. Ze hadden zo veel mogelijk afgevallen takken bij elkaar verzameld als aanmaakhout voor de houtkachel in de huiskamer. Maar 's avonds hadden ze ook hout gebrand in de vuurkorf en dat was reuze gezellig geweest.

Simon had zich op het zagen van stukken boomstam geworpen, terwijl Kitty met haar dochter prachtige herfststukjes maakte, die nu nog hun huis en hut tooiden.

Met een grimas op haar gezicht dacht Milly terug aan wat Kitty

haar fluisterend verteld had. 'Ik denk dat opa ergens een zoon heeft.'
'Een zoon? Doe niet zo raar. Hij heeft alleen mamma en tante Geerte.'
'Maar toch ... Opa dacht dat ik iemand anders was ...'
'Ja, dat zegt mamma ook elke keer als ik haar spreek.'
'Dit was anders.' Kitty aarzelde. Ze kreeg blijkbaar spijt van wat ze gezegd had.
'Vertel!'
'Nee, het is een heel lang verhaal. Dat kan niet waar de anderen bij zijn. Dat doe ik nog weleens, misschien. Je hebt gelijk, demente mensen doen soms raar. Vergeet maar wat ik gezegd heb en zeg het vooral niet tegen mamma!' Direct daarop was Kitty over haar vorige buurman begonnen. 'Die deed zo raar, joh. Althans, zo komt het dan over. Ik ging bij hem op bezoek. Dat vond hij leuk. Hij vroeg zelfs of ik wat wilde drinken. Ik kreeg een glas melk van hem en we hadden het over Gijs. De andere kinderen waren nog niet geboren. Ineens zegt hij: "Hoe laat is het?" En hij keek angstig. Dat vond ik zo raar, joh. Ik zei dat het vier uur was. Hij schrok. "Dan komen ze zo. We moeten ons verstoppen!" En hij wilde onder de tafel kruipen. Ik begreep er niets van, maar weet je voor wie hij bang was? Voor de Duitsers. Hij zat ondergedoken in de oorlog en hij wist dat elke middag een groep Duitsers daar langskwam en voor hen moest hij zich verstoppen. Je snapt het niet. Het ene moment hebben we het over Gijs en het volgende moment zitten we midden in de oorlog. Vrij snel daarna ging hij naar een verzorgingstehuis. Dus je hebt gelijk. Ze zeggen soms dingen die je niet volgen kunt. Sorry. Vergeet het maar weer.'

Toch was dat moeilijk, bedacht Milly nu. Een zoon! Hoe was Kitty ertoe gekomen om zoiets te zeggen? Ze moest er haar nog eens naar vragen als ze wel onder vier ogen met elkaar konden praten. Milly trok haar vest iets steviger om zich heen. Erg warm was het niet meer, maar ze genoot zo van de boslucht dat ze zo vaak mogelijk buiten was. Opeens zag ze de wigwam bewegen en wist ze dat Fay erin zat. Ze glimlachte. Wat was ze opgebloeid hier. Wat was ze weer vrolijk en blij geworden het afgelopen halfjaar. Het was een goede beslissing geweest om hier te gaan wonen en het leuke was, ze zouden er blijven wonen!
De eigenaar had besloten dat hij het huisje toch wilde verkopen. Hij had eerst niet geweten wat hij met zo veel geld moest. Hij wilde het niet op de bank hebben staan. Dan moest hij er alleen maar belasting over betalen. Maar plotseling had hij een prachtig jacht gezien en wist hij wat hij wilde. Het huisje verkopen en een schip terugkopen. Het had even wat moeite gekost om de hypotheek rond te krijgen, maar met de ouders van Jan-Jakob als borg, lukte het toch. Drie maanden geleden waren ze de gelukkige eigenaars geworden van het piepkleine huisje op het grote stuk bosgrond.
Ze hadden meteen een aannemer in de arm genomen, die een offerte gemaakt had om een kamer bij het huis aan te bouwen. De kamer zou aan de zijkant komen, met ramen aan de zij- en achterkant. Een kleine ruimte zou afgescheiden worden. Daar kwam een douche in. Het leek overbodig, omdat ze immers boven een mooie badkamer hadden, maar die douche kon vooral door de logees gebruikt worden die in de blokhut sliepen. De doucheruimte zou twee deuren krijgen. Een aan de buitenkant, zodat je er van buitenaf in kon en eentje aan de binnenkant. Die

kwam dan uit in de nieuwe kamer, waar Milly en Jan-Jakob zouden gaan slapen. Het leek Milly te gek om daar te liggen met die grote ramen. Bijna alsof je buiten in het bos lag. Het betekende dat Fay alleen boven lag, maar als dat problemen op zou leveren, zou vast de babyfoon weer uitkomst brengen. Maar Milly voorzag eigenlijk geen problemen meer. Fay ging altijd probleemloos naar bed en nachtmerries had ze nooit meer. De aannemer zou er in november mee beginnen. Dat kwam hem beter uit, maar financieel kwam het Jan-Jakob en Milly ook beter uit. Ze hadden tegen die tijd alweer wat kunnen sparen en hoefden niet alles te lenen. Al hadden nu Milly's ouders opnieuw geld aangeboden. De aannemer vermoedde dat de kamer er met een maand zou staan. Daarna moesten ze hem zelf behangen, maar als het een beetje meezat, konden ze er eind dit jaar in trekken, en dat was achteraf precies op tijd.
Een geluid deed Milly haar hoofd draaien en ze schoot in de lach.
'Fay, Scotty is toch geen paard!'
'Jawel, hij moet me naar huis brengen.'
Milly schudde haar hoofd, maar vanbinnen genoot ze. Het was haast niet voor te stellen dat het waar was, wat ze zag. Scotty was een hond en Fay speelde er elke dag mee! Het was hun huisarts die op dit idee gekomen was. 'Koop een puppy voor haar. Eentje van een goed ras, dat met kinderen om kan gaan en van een goede fokker. Dan groeit ze ermee op.' Meteen was het haar weer te binnen geschoten hoe Fay gereageerd had op de puppy's bij de buren van Tjeetske en Didi. Ze had niet doorgehad dat het hondjes waren en ze had er een opgetild en geknuffeld. Via die buren was ze aan het adres van een goede fokker gekomen. Natuurlijk

nadat ze het er met Jan-Jakob over gehad had. Hij was altijd al gek op honden geweest en was er meteen voor. Het zou misschien lastig zijn als ze een weekend weg wilden, maar dat zagen ze dan wel weer. Ze waren weinig weg en op vakantie hoefden ze voorlopig niet met zo'n heerlijk huisje en als het Fay hielp om van haar angst voor honden af te komen? Hij was echter van mening dat ze Fay van tevoren duidelijk moesten maken dat de puppy een hond was en als bleek dat ze geen puppy wilde, dan legde hij zich daar direct bij neer.

Op een dag waren ze naar de fokker getogen die aan had gegeven dat hij twee puppy's te koop had. Fay was inderdaad weg van hen geweest en wilde ermee spelen. Jan-Jakob was door zijn knieën gezakt en had haar bij zich getrokken. 'Luister eens, Fay, je mag er heus mee spelen, maar weet je wel wat het zijn?'

Ze keek ernaar en schudde haar hoofd.

'Het zijn geen kippen,' zei Jan-Jakob, 'en geen eekhoorntjes, geen konijnen en geen koeien. Het zijn heel kleine ...' Fay keek hem ernstig aan. '... honden.'

Een moment verstarde haar blik, maar toen hij haar losliet, draaide ze zich om en liep ze weer op de puppy's af. Ze wilde er beslist mee spelen, of het nu honden waren of niet.

'Op een dag, Fay,' ging Jan-Jakob rustig door, 'worden ze groot. Net zo groot als hun moeder. Wil je die zien?' Hij nam haar mee naar de moederhond en Fay verstopte zich achter haar vaders benen.

'Zo groot worden die kleine hondjes ook, Fay.'

Ze leek het niet te begrijpen, maar was compleet weg van de kleine honden. Milly en Jan-Jakob keken elkaar aan en knikten.

'We nemen er een,' zei Jan-Jakob. Ook hij was blij. Die wens had hij al zo lang hij zich herinnerde en was nu zomaar vervuld.
De puppy werd Scotty gedoopt en was al behoorlijk gegroeid sinds ze hem hadden, maar het leek alsof Fay dat niet merkte. In elk geval was haar liefde voor het dier er niet minder om geworden. Alleen Ko kreeg daarna wat minder aandacht, al zorgde Milly er nadrukkelijk voor dat Fay hem elke dag voerde en schoon water gaf.
En zo gek was het helemaal niet om op zo'n afgelegen stuk grond een hond te hebben. Mocht er ooit iemand over de afrastering klimmen, zou Scotty dat vast horen en gaan blaffen. Dat was ook een prettig idee.
Trouwens, Fay alleen boven ... Milly moest grinniken om zichzelf. Haar gedachten vlogen van de hak op de tak vandaag. Fay zou straks niet meer alleen boven liggen! Tenminste, als het goed ging, en daar leek het op. Onbewust streek ze over haar buik, die al zichtbaar gegroeid was. Ze was zes maanden in verwachting en voorbij elke griezelige grens. Ze durfde erin te geloven en op een goede afloop te hopen. Dat was in het begin wel anders geweest. Hoewel ze de eerste weken niet eens geweten had dat ze zwanger was!
Ze genoot zo van hun huisje en van het nieuwe leven, van het plezier dat Fay aan de omgeving beleefde en aan Didi die geregeld uit school met hen meeging, dat ze totaal niet gemerkt had dat ze niet meer ongesteld geworden was. Ze had er totaal niet aan gedacht. Tot ze er twee maanden woonden en het eindelijk tot haar doordrong dat ze niet gemenstrueerd had. Ze zat op haar werk. Een van haar collega's zag er wit vertrokken uit en klaagde over

hevige menstruatiepijnen. Dat was het moment waarop Milly zich realiseerde dat ze al die tijd nergens meer last van had gehad. Ze werd er zenuwachtig en opgewonden van en kon haast niet wachten tot ze pauze had en snel even naar een drogist kon rijden om een zwangerschapstest te halen. Ze had op televisie gezien dat er tegenwoordig tests verkrijgbaar waren, die meteen aangaven hoe lang je al in verwachting was en die had ze gekocht. Na werktijd had ze Fay van school gehaald en thuis had ze eieren gezocht en ervoor gezorgd dat Ko eten kreeg. Scotty moest wachten op zijn maaltje, want hij kreeg altijd pas eten als zij hun avondeten op hadden. Soms kreeg hij de restjes, soms kreeg hij voer uit blik.
Opgewonden was ze het avondeten gaan bereiden, en bij elke minuut die verstreek, voelde ze zich zenuwachtiger worden. Hoe ze er ook over nadacht, ze wist zeker dat ze de laatste keer dat ze ongesteld was, nog in Meederveld woonden. Ze moest haast wel zwanger zijn. Ze vond alleen dat ze het niet maken kon de test in haar eentje uit te voeren.
Veel te lang naar haar zin was Jan-Jakob bezig Fay in bed te leggen. Zelf had ze ondertussen de tafel afgeruimd en de afwasmachine gevuld en al koffiegezet.
'Eindelijk!' riep ze uit. 'Ik dacht dat je nooit meer beneden kwam.'
'Hoezo?' Hij keek haar niet-begrijpend aan, tot zijn blik op het kleine doosje viel dat ze demonstratief had neergelegd. Zijn mond viel open. 'Ben je ... Is ...?' Hij stapte op haar af en greep haar beet.
'Ik weet het niet. Ik denk het. Kom, laten we de test doen.'
Ze was inderdaad zwanger en inderdaad al twee maanden. 'Het was meteen raak, toen we hier kwamen wonen,' zei ze hoofd-

schuddend. 'Het ergste is al voorbij. De vorige keer heb ik de twee maanden helemaal niet gehaald.'
Jan-Jakob nam haar in zijn armen en kuste haar. 'Milly, wat heerlijk. Wat een geweldig nieuws.'
Toch hielden ze, op Milly's verzoek, nog een maand hun mond. Fay was gezond geboren en dat zou voor dit kindje ook kunnen gelden, maar de grote schrik van de miskraam kwam opnieuw boven en al was die grens al gepasseerd zonder dat ze er erg in had gehad, de magische grens van drie maanden wilde ze eerst voorbij zijn voordat ze het rond zouden bazuinen.
Vooral omdat de huisarts haar doorverwees naar een gynaecoloog in plaats van een verloskundige. 'Voor alle zekerheid, maar niet omdat ik er niet in geloof.' Tja, voor alle zekerheid ... Maar deze keer groeide er wel een kindje in haar buik en volgens de echo een kindje met handjes en voetjes. Ze kregen een afdruk van de echo mee en Milly koesterde die. Ze was zo gelukkig.
'Ik zei toch dat het vanzelf goed kwam,' was de reactie van haar nuchtere moeder.
'Ja, mam, dat zei je, maar je hebt niet altijd gelijk.'
'Wel waar,' zei Babs monter. 'Gefeliciteerd, Milly. Ik ben blij voor je.'
Anders ik wel, dacht ze. En Jan-Jakob. Die was natuurlijk mee geweest naar het ziekenhuis en had alles op het beeldscherm gezien.
Als het kindje kwam, zou Fay bijna vijf zijn. Een groter verschil dan ze vroeger gehoopt had, maar het kon handig zijn. Ze hoefde Fay al steeds minder te helpen met aankleden. Fay kon al zo veel dingen zelf. Op die manier had Milly haar handen vrij voor de

baby en als haar zwangerschapsverlof voorbij was, zou de baby meegaan met Jan-Jakob naar de kinderopvang op zijn werk. Even had ze getwijfeld of ze dat wilde, maar ze wist dat ze haar werk buiten de deur niet kwijt wilde. Het was fijn om collega's te hebben en niet altijd bezig te zijn met het kleine kringetje van haar gezin en huis. Het kindje zou, als alles goed ging, eind januari geboren worden. Ze hadden direct de aannemer gebeld, die beloofde zo snel mogelijk te beginnen en ook door te werken als het eventueel zou gaan vriezen. Hij zou er alles aan doen dat de kamer eerder klaar was, maar het werd krap, want straks kon Milly geen zware dingen meer verplaatsen of nog op een trapje staan om de muren te behangen. Maar met een winter voor de deur kon de aannemer niet garanderen dat hij veel eerder klaar zou zijn. En de wieg kon op hun slaapkamer boven staan als de planning eventueel misliep. Milly maakte zich daarover geen zorgen.
Waar ze zich echter wel zorgen om maakte, was haar bezoek van die middag. 's Morgens vroeg was ze opgebeld door mevrouw Hofhuis, de nieuwe bewoner van hun huis in Meederveld. 'Ik heb nu zo veel post verzameld, dat ik vind dat je het maar eens moet komen ophalen.'
Milly had niet kunnen weigeren. De vrouw had al diverse malen post doorgestuurd.
'Ik denk niet dat er iets belangrijks bij zit,' ging de vrouw verder, 'maar jullie naam staat erop.'
'Natuurlijk, fijn dat u het meldt. Ik kom zo snel mogelijk.'
'Wanneer? Ik houd van duidelijke afspraken.'
'Vanmiddag dan.'
'Prima.'

Sinds de verhuizing naar het bos had ze geen contact meer gehad met de mensen uit Meederveld. Zelfs Cornelia had ze niet gebeld om te vragen hoe het er ging. Ze had zo haar buik vol van wat daar gebeurd was, dat ze er het liefst nooit meer terugkwam. Vermoedelijk vooral omdat het zo echt hun droomhuis was geweest en omdat die droom ontzettend kapot gespat was in duizenden stukjes. Maar nu moest ze er naartoe.
'S Middags zou ze Fay naar Didi brengen. Dat was al afgesproken. En later zou Tjeetske haar terugbrengen mét Didi, die dan een nachtje zou blijven slapen. Eigenlijk had Didi Fay uitgenodigd om bij haar te komen, maar Fay had gezegd dat ze dat niet wilde. Milly wist niet precies waarom, maar ze was blij dat Fay zo duidelijk aangaf wat ze wel of niet wilde.
Als Fay bij Didi was kon zij mooi naar Meederveld rijden, want Fay meenemen naar die straat, dat zou ze nooit meer doen. Maar ze zag er als een berg tegen op. Het kon niet anders dan dat mevrouw Hofhuis zou klagen over die lui in het huis van Bol. Waarop Milly wel moest toegeven dat ze ervan op de hoogte was geweest en dat daarom de prijs van het huis zo laag was.
Ze zuchtte en bukte zich om de krant te pakken die nog steeds ongelezen naast haar op de vloer van de veranda lag. Ze glimlachte, terwijl haar blik langs de koppen op de voorpagina gleed. Het was een ochtendkrant, maar werd steeds meer een middagkrant. Vroeger, in Delfzijl, werd de krant gewoon bij hen in de brievenbus in de deur gedaan en vonden ze de krant op de gangmat. In Meederveld moesten ze ervoor naar buiten en de voortuin doorlopen om de krant uit de bus te halen. Maar hier moesten ze helemaal over het pad naar het hek toe lopen om de krant

uit de brievenbus te vissen. Dat was te ver om vlugvlug te doen. Daarvoor moest een jas aangetrokken worden, zeker in de winter. En daardoor werd, zelfs in het weekend, de krant nooit meer zo vroeg gelezen als ze gewend was. Tja, het had nu eenmaal voorén nadelen om zo afgelegen te wonen, maar de nadelen vielen in het niet bij de voordelen.

Ze bladerde naar de pagina met regionaal nieuws en zette opeens grote ogen op. *Politie rolt drugsbende op*, stond er met grote letters. Maar dat was nog niet waarvan ze zo beduusd was. Nee, de plaatsnaam die volgde, was het die haar hart sneller deed slaan:

MEEDERVELD - De politie van Noordoost-Groningen heeft gisteravond een drugsbende opgerold. Twee vrienden, Sander S. (25) en Vincent G. (24) leverden vanuit hun woning in het Groningse gehucht Meederveld veelvuldig speed, cocaïne en xtc aan dealers in de omgeving. Na een melding bij de politie werd het tweetal door het speciale Drugsteam van Groningen in de gaten gehouden. Uit telefoontaps bleek dat ze intensief contact hadden met bekende drugsdealers.

Op het moment van de inval van de politie waren er twee drugsdealers aanwezig en kwam een derde juist aan. Ook zij zijn opgepakt. De twee leveranciers en de drie drugsdealers zullen volgende week worden voorgeleid.

Milly wist niet wat ze zag en las en herlas het kleine artikel tot ze het uit haar hoofd kende. Drugsleveranciers. Ze hadden naast drugsleveranciers gewoond! Het was maar goed dat ze weggegaan waren. Dat was geen plek om te wonen en zeker niet voor een gezin met een dochtertje van drie, vier.

Toch moest ze toegeven dat ze wel iets dergelijks vermoed had,

want wat kwamen die lui anders doen zo laat op de avond en zo kort. Het moest haar toch niet verbazen wat ze net gelezen had. Maar op de een of andere manier was het erger, nu het zo zwart op wit in de krant stond. Zoiets las ze helaas vaker, maar het was altijd ver weg geweest, nooit naast de deur. *Na een melding bij de politie*, stond er. Waren zij dat? Ging dat om hun gesprekken met de politie? In de gaten gehouden ... Ja, dat was precies wat de agenten tegen hen gezegd hadden, maar ze merkten er niets van, zagen nooit een agent of een patrouillewagen. Nu las ze dat de telefoongesprekken waren afgeluisterd. Dus zo ging dat.
Maar het had lang geduurd! Erg lang! Wanneer hadden ze ook alweer voor het eerst naar de politie gebeld? Nadat die hond gebeten had. Dat was meer dan een jaar geleden en nu werden ze pas opgepakt. Maar goed, ze wáren opgepakt. De rust kon terugkeren in de straat. Milly hoefde zich vanaf nu niet meer schuldig te voelen.

Nadat ze Fay had afgezet bij Didi, reed Milly naar hun vorige woning. Meteen toen ze de straat in reed, had ze het gevoel dat die er anders uitzag. Haar blik viel op de tuin van Patrick en ze fronste haar wenkbrauwen. De voortuin was veranderd in een kleurig geheel van rozenperkjes, gescheiden door buxusstruikjes. Veel te keurig voor een kunstenaar die spullen maakte van afval. Voor zijn huis stond een bankje en daar zat een grote pop op. Naast de pop een pot met een bloeiende plant. Niets op tegen natuurlijk, dacht Milly, maar inderdaad: veel te keurig. Of eerder: te gewoon. Zo was hij toch niet?
Ze reed door en zag het. De hele houten schutting rond het ter-

rein van Bol was weg. In elk geval dat gedeelte dat ze vanaf de straat kon zien. Die was snel verdwenen. Ze waren gisteravond pas opgepakt. En wie had dat gedaan? Nou ja, ze zou het zo wel horen. Ze reed door en parkeerde voor haar oude huis. Terwijl ze uitstapte zag ze iets verderop een grote zwarte roetplek op straat. Alsof er een groot paasvuur gebrand had, op straat! Maar troep lag er niet meer. Alles was alleen erg zwart.

Ze vroeg zich af wat er allemaal gebeurd was de avond ervoor en belde aan bij het echtpaar Hofhuis.

'Milly, daar ben je. Loop je mee naar de serre? Daar zitten wij het liefst. Cornelia is er ook. Ze vond het leuk je weer eens te zien.'

Milly liep mee door de huiskamer, die ze nauwelijks herkende. 'Wat hebben jullie het anders ingericht dan wij. Het lijkt een compleet ander huis! Dag Cornelia.'

Maar Cornelia zag de hand die Milly haar toestak, niet. Verwonderd keek ze naar Milly's buikje. 'Je bent in verwachting.' Het klonk meer als een verwijt dan een constatering.

'Inderdaad,' zei Milly. 'Zes maanden.'

'Vruchtbare grond dus, daar in dat bos,' stelde meneer Hofhuis vast. Hij stak haar zijn hand toe, maar zijn gezicht stond onvriendelijk en Milly vreesde het ergste. Ondanks dat die lui van Bol nu waren opgepakt, zou ze toch de wind van voren krijgen. En gaf ze eens ongelijk? Ze hadden nog lang gewacht met hun verwijten.

Ongevraagd nam ze plaats in de serre.

'Wil je thee?' vroeg mevrouw Hofhuis.

'Graag.'

'Lukte het hier niet?' vroeg meneer Hofhuis. 'Die zwangerschap, bedoel ik.'

'Nee, dat hebt u goed begrepen. Het spijt me ...' begon ze.
'Ja, dat zal best,' viel hij haar in de reden. 'Ik zie je nog voor me, zoals je keek. We zaten in de keuken en ik bood een prijs van tienduizend euro onder jullie vraagprijs. Maar nee, jij zei met een ijskoude blik in je ogen dat je niet lager wilde gaan. Terwijl je ondertussen heel goed wist wat hier speelde. Het huis was de helft nog niet waard.'
'Dat is niet waar,' riep Milly uit. Dit ging haar te ver. 'Het huis was veel meer waard, zelfs mét die buren. Het is een prachtig, ruim huis met veel grond. U hebt het echt voor een koopje gekregen.'
'Maar jullie wilden hier niet blijven, dus was het niets waard. Je hebt er ons in laten tuinen. Met je volle bewustzijn.'
'Meneer Hofhuis, u viel direct voor het huis. Als u niet zo impulsief gereageerd had, had u de tijd genomen om in de straat praatjes aan te knopen, buren op te zoeken en te vragen hoe het was om hier te wonen. Dan had u het geweten.'
'Helemaal mee eens, we vielen voor het huis, maar jij had moeten vertellen wat voor overlast die buren bezorgden.'
'U had dat zelf kunnen begrijpen, dat er iets was, vanwege die lage prijs en die stond u juist zo aan. U was enorm in uw nopjes dat u zo weinig hoefde te betalen.'
Milly had zich schuldig gevoeld, maar ze vond nu dat meneer Hofhuis te ver ging. Vanuit haar ooghoek zag ze dat Cornelia zat te wippen op het puntje van haar stoel. Ze wilde duidelijk dolgraag haar nieuwtjes kwijt, maar voelde dat ze helaas nog niet aan de beurt was.
Milly keek de tuin in. De schommel was verdwenen en ook het

hek dat moest voorkomen dat Fay tot achter in de tuin liep. Een groot stuk grond was omgespit.
'Ja, we hebben een grotere moestuin aangelegd,' vertelde mevrouw Hofhuis, die haar blik gevolgd had.
'Lekker, hè?' zei Milly. Ze haalde even diep adem en richtte zich tot haar vroegere buurvrouw. 'Cornelia, hoe gaat het met u?'
'We zijn nog niet uitgepraat,' vond meneer Hofhuis.
'Wat wilt u dan?' vroeg Milly. Ze schoof ongemakkelijk op haar stoel heen en weer. 'Ik weet zeker dat het huis nu vijftigduizend euro meer waard is, nu die schutting van de buren weg is.'
'Heb je dat gezien?' vroeg Cornelia, die zich niet langer in kon houden. 'Heb je de krant gelezen, Milly?'
'Ja, wat een toestanden, zeg. Hebben jullie er veel van meegekregen?'
'Alles! Wat denk jij? Er waren zes politiewagens met zwaailicht. Dat zie je zelfs door je gesloten gordijnen heen.'
'Wij schrokken verschrikkelijk,' zei mevrouw Hofhuis. 'We wisten eerst niet waar het was. We dachten dat ze hier moesten zijn. Sommige auto's stonden hier voor de deur! Het was heel spannend. We hebben tussen de gordijnen door staan gluren, maar we konden weinig zien vanwege die schutting.'
'En die is nu al weg!' zei Milly.
'Ja, gisteravond, meteen nadat ze weggereden waren, kwam Patrick naar ons toe. Hij had via via al gehoord dat het om drugs ging en hij was in zo'n vrolijke stemming, dat hij aan de schutting begon te trekken.'
'Was hun hond er dan niet meer?'
'Nee, die had de politie ook meegenomen. Daarom was er niets of

niemand om Patrick tegen te houden. De man van Annet kwam helpen,' zei Cornelia, 'en Geertjes man en zoon ook. Binnen de kortste keren lag hier een bult hout op straat en dat hebben ze vervolgens in brand gestoken. Het was gewoon gezellig. Net een straatbarbecue zonder eten.'
'Wij hebben een kratje bier neergezet en een paar flessen wijn,' zei mevrouw Hofhuis.
'En zo hadden we feest,' glunderde Cornelia. 'Sinds jij hier weg bent, gebeurt er van alles. Drie maanden geleden hadden we ook al feest. Toen trouwde Patrick.'
'Trouwde Patrick?' herhaalde Milly verbaasd.
'Ja, met een schat van een vrouw. Een paar jaar ouder dan hij, maar een lief mens. We zijn allemaal blij met haar. Vooral omdat ze de voortuin heeft aangepast aan het totale beeld.' Dus die had dat gedaan. En Milly's vreemde gedachten over hem waren niet terecht geweest, want anders gaf hij zijn vrijheid toch niet op voor een vrouw? Milly zuchtte en keek naar Cornelia. Ze kreeg de indruk dat de straat er behoorlijk op vooruitgegaan was de laatste tijd, maar het deerde Milly niet. 'Ze hadden iedereen uit de straat uitgenodigd voor het feest,' ging Cornelia verder. 'Ik mocht met Ans en Jan meerijden.' Ze keek opgetogen naar meneer en mevrouw Hofhuis.
'Cornelia is tegenwoordig mijn beste vriendin,' zei mevrouw Ans Hofhuis, terwijl ze een schaaltje speculaasjes in Milly's richting schoof. 'Het klikt heel goed tussen ons.'
'Dat is leuk voor jullie,' vond Milly.
Cornelia keek vergenoegd.
'Als jullie de politie hadden gebeld, hadden jullie helemaal niet

hoeven te verhuizen,' viel meneer Hofhuis tussenbeide. 'Dat zie je maar. Wij waren die herrie 's nachts zo zat, dat we de politie gebeld hebben en nu heb je het resultaat in de krant gelezen. Als jullie dat ook hadden gedaan, waren ze veel eerder opgepakt en was die hond allang verdwenen en had je tegen ons geen smoes op hoeven hangen over een klein kind dat bang was voor de buurhond die aan een lijn zat en achter de schutting.'
Milly keek van hem naar Cornelia, die schuldbewust haar hoofd boog. 'Wat zei de politie?' vroeg Milly.
'Dat ze hen in de gaten hielden en dat ze maatregelen zouden treffen.'
'Dus ze waren ervan op de hoogte dat het daar niet pluis was?' vroeg Milly.
'Eh, ja, dat klopt. Die indruk kreeg ik wel.'
'Dat komt omdat wij ook de politie gebeld hebben. Wat denkt u dan?' Ze stond op het punt om alles te vertellen. Van de kapotte ruit en de hondenpoep in de voortuin, maar ze bedacht zich op tijd. Als ze dat allemaal ging spuien, zou hij nog veel kwader op haar worden en nog meer het gevoel hebben dat ze hem erin had laten tuinen. En niet onterecht ook.
'Maar ...?' zei Cornelia aarzelend. 'We zouden toch niet bellen? Jij vroeg ...'
'Inderdaad, ik vroeg of we er gezamenlijk iets aan konden doen, maar dat wilde niemand. Daarom hebben wij de politie gebeld en we waren niet de enigen in de straat. Ik weet dat er nog iemand gebeld heeft, anoniem. Maar goed, het is nu opgelost en daar ben ik vreselijk blij om. Kan ik de post krijgen?' Milly was het zat om beschuldigd te worden en om zich te verdedigen. 'U hebt een

mooi huis voor weinig geld,' zei ze en kwam moeizaam overeind. Haar hand gleed onbewust naar haar buik.
Milly pakte de post van mevrouw Hofhuis aan, haalde eens diep adem. 'Bedankt voor de post en veel geluk hier verder.' Ze draaide zich om en liep het huis uit. Ze startte de auto, reed over de grote roetplek heen en keerde de auto om weg te rijden van het huis dat ooit hun droomhuis was geweest, maar waar ze zich tevens zo ontzettend bang en machteloos hadden gevoeld.
Terwijl ze de straat uit reed, schoot haar te binnen wat ze ooit gedacht had toen ze terugkwamen uit Den Haag: het mooiste van een bezoek aan Den Haag was thuiskomen in Meederveld. Dat was nu anders, wist ze en met een zeer tevreden gevoel reed ze in de richting van hun huisje in het bos. Ze wist inmiddels zeker dat ze in dat kleine huis veel gelukkiger was dan ze in Meederveld ooit geweest was. Het huisje was niet haar eerste keus geweest, misschien zelfs had ze er nooit voor gekozen als het niet zo gelopen was, maar nu wist ze dat het huisje een van de mooiste dingen was die haar waren overkomen. 'Een van de mooiste,' herhaalde ze voor zichzelf, terwijl ze met haar linkerhand over haar buik streek.
Thuis zag ze dat de aannemer twee keer gebeld had. Ze belde hem meteen terug. 'Wat is er?' zei ze zo opgewekt mogelijk, al had het bezoek haar behoorlijk vermoeid.
'Ik kan volgende week beginnen met de bouw van die kamer. Komt dat uit?'
'Geweldig! We zijn overdag weliswaar naar ons werk, maar dan kunnen we u ook niet voor de voeten lopen, nietwaar? Ik verheug me erop.'

‘Werk je dan nog? Ik bedoel: ben je niet met zwangerschapsverlof?’

‘Nee, hoor. Dat gaat half december pas in.’

‘Aha, dan heb je nog even.’

‘Inderdaad.’

Maar dat er in die weken iets schokkends zou gebeuren, had Milly niet verwacht.

HOOFDSTUK 18

Het was een grote puinhoop rond hun huis. Ondanks dat de bouwvakkers 's avonds telkens alles opruimden, was het een vieze boel geworden. Er had een cementmolen gestaan en overal lagen stapels stenen. De grond van de oprit was kapotgereden door de vele wagens die telkens materiaal of mensen kwamen brengen. Milly had af en toe het gevoel dat ze een compleet huis aan het bouwen waren, zo veel werk kwam erbij kijken. Maar de kamer stond er en de ramen zaten erin. Jan-Jakob had toestemming gekregen de muren te gaan behangen. Ze zouden eerst een eenvoudig wit behang nemen, dat ze later misschien over zouden schilderen.

Zijn vader was opnieuw bereid te helpen en was vorig weekend overgekomen uit Den Haag. Helaas zaten de vensterbanken er nog niet in, die konden daarom niet geschilderd worden, en ook de deur naar de doucheruimte was er nog niet, maar het plafond kon gewit worden en de rails voor de gordijnen konden opgehangen worden.

Milly had de gordijnen die in Meederveld voor de ramen van de logeerkamer gehangen hadden, vermaakt, zodat ze nu in hun nieuwe slaapkamer in het bos pasten. Maar veel fut om nog meer te doen had ze niet. Over een paar dagen zou haar zwangerschapsverlof beginnen en ze keek er echt naar uit. Ze was behoorlijk zwaar geworden. Zwaarder dan ze rond die tijd van Fay geweest was. Volgens Jan-Jakob betekende dat, dat ze een jongetje zouden krijgen. Ze hadden het niet gevraagd. Met opzet niet. Vooral Milly wilde het niet weten. 'Het enige dat belangrijk is, dat is dat

het een gezond kindje is. Dat vind ik nu zelfs meer dan de eerste keer.' Ergens was ze toch nog steeds bang dat het mis zou gaan. Af en toe staken de gedachten aan de miskraam de kop weer op.
'Staat het bier koud?'
Milly schrok op van de timmerman die opeens achter haar in de keuken stond. Ze was net thuisgekomen van haar werk en was nog bezig Fay te helpen haar jas en wanten uit te trekken, maar Fay had meer belangstelling voor Scotty die haar kwispelend begroette. 'Koud?' zei ze fronsend. 'Zelfs als we het in de huiskamer zouden bewaren, was het koud.'
'Ja, mevrouwtje, het is wel winter, hè? Maar onze werkdag zit erop en een biertje na die tijd ... U weet het, dat laten we niet staan.'
'Ik breng een paar blikjes naar "de hut". Hoeveel heb je er nodig?'
'Doe maar vier,' zei hij olijk en liep de keuken weer uit.
'Doe je jasje maar weer aan, Fay,' zei Milly. 'We gaan even wat drinken in de hut.'
'Nee, ik ga in de tent zitten.'
'Heel goed, meisje, maar wel met je jas aan.' Ze stak haar een flesje toe, dat ze zelf open kon krijgen en volgde haar met een mandje met blikjes bier en een stuk leverworst. Ze wist dat de mannen daarvan hielden.'
In de hut zag ze maar twee mannen zitten. 'Vier bier?' vroeg ze verbaasd.
'Ja, een voor het werk van vandaag en een voor het afscheid. We zijn klaar en komen niet meer terug.'
'O? Zit de deur er dan in?'
'Ja, en de vensterbanken zijn bevestigd. De elektriciteit doet het

en er komt zelfs water uit de douchesproeier. Wat mij betreft kunnen jullie er vanavond slapen.'
'Verrassend. Ik had gedacht dat het nog minstens een week zou duren.'
'Nee, hoor. We wisten dat je volgende week alle dagen thuis zou zijn. Dat moesten we zien te voorkomen.'
'Haha,' zei Milly grijnzend. 'Zo chagrijnig ben ik toch niet?'
'Je weet maar nooit met zwangere vrouwen, en wat niet is kan nog komen. Nou, op je gezondheid!'
'Ja, proost. En geweldig dat jullie klaar zijn. Ik ga direct kijken, want dat wil ik zien.' Ze zuchtte. Ze was moe van de hele dag werken en Fay ophalen. Nee, natuurlijk niet, ze was moe van het gezeul met haar buik, maar dat wilde ze niet toegeven. Ze was immers veel te gelukkig dat ze zwanger was. Nu ging de telefoon ook nog. Gelukkig had ze de draadloze telefoon meegenomen. Ze zag dat het haar moeder was. 'Hallo, mamma, ik bel straks wel te...'
'Milly, ik heb geen leuk bericht,' zei Babs zonder naar haar dochter te luisteren. 'Het gaat erg slecht met opa. Hij gaat plotseling zienderogen achteruit. Het is net of zijn hart het niet meer vol kan houden. Als je hem nog wilt zien, moet je snel zijn.'
'Mamma, zeg zoiets niet!'
'Maar het is waar. De dokter zei het ook. Hij zei dat iedereen die het moest weten, nu gewaarschuwd moest worden.'
'Dat klinkt serieus.'
'Dat is het ook, Milly. Kun je nu komen?'
'Mamma ...' Milly zuchtte en keek de twee mannen hulpeloos aan. 'Ik moet het eerst met Jan-Jakob overleggen, maar die is nog

op zijn werk en mamma, ik ben moe.'
'Zelf weten, maar je krijgt er spijt van als je niet komt. Het is nu of nooit.'
'Mamma, ik wíl wel, maar ....'
'Het is jouw keus om zo ver weg te wonen.'
Milly opende haar mond om iets lelijks terug te zeggen, maar begreep gelukkig op tijd dat haar moeder natuurlijk in alle staten was, nu opa toch nog onverwachts op sterven lag. 'Ik bel je straks terug. Goed?'
'Prima, maar dan wel op mijn mobiele telefoon, want ik ben niet thuis.'
'Begrepen.' Milly legde de telefoon op tafel.
'Problemen?' vroeg de timmerman.
'Mijn opa ligt op sterven en mijn moeder wil dat ik zo snel mogelijk kom, maar ik ben moe en wilde met jullie de kamer bekijken. Ik moet mijn man bellen.'
'Mevrouwtje! Luister, wij nemen dat tweede biertje mee naar huis. Bekijk die kamer later maar. We hebben een peertje opgehangen, dus er is licht als je straks nog gaat kijken. Weet je, die kamer loopt niet weg, je opa duidelijk wel. Kom, Peter, we vertrekken. En als er klachten of vragen zijn over de kamer, je hebt ons nummer. Bel dan.'
Nog voor Milly iets terug kon zeggen, waren de beide mannen verdwenen. Milly pakte de telefoon en belde Jan-Jakob.
'Ik kom direct naar huis,' zei hij. 'Je moeder heeft gelijk. Je krijgt er spijt van als je het niet doet. Ik rijd wel, dan kan jij lekker dommelen en Fay slaapt wel achterin. Maak een paar boterhammen klaar voor onderweg, zodat we niet omkomen van de honger. Ik

ben er over een halfuur.'
Ze was verbaasd over zijn doortastendheid, maar ook blij. het was heerlijk om iemand te hebben die de dingen voor je regelde, als je daar zelf even niet toe in staat was. Ze kwam overeind en ging naar de keuken. De telefoon nam ze mee in het mandje, net als de lege blikjes bier. Nog voor ze naar binnen ging, hoorde ze de telefoon overgaan.
'Mamma, we vertrekken over een halfuur.'
'Het hoeft niet meer, Milly.' Babs' stem klonk mat. 'Hij is net overleden.'
'Mamma, echt?'
'Ja, hij sliep en opeens hield zijn hart ermee op. Hij is heel vredig heengegaan.'
'Mamma, kijk!' Fay kwam eraan gerend. Ze had een grote tak in haar handen waar paddenstoelen op groeiden.
'Fay, je moet nu stil zijn,' zei Milly. 'Ik praat met oma.' Ze stapte het huis in en liet zich op de eerste de beste stoel vallen. 'Dus opa is er niet meer?'
'Nee, meisje.' Er volgde een snik en Milly zweeg een ogenblik.
'Je kunt thuisblijven. Daarom bel ik zo snel. Ik ga nu weer naar hem toe. Ik bel je vanavond opnieuw om meer te vertellen en te zeggen wanneer de begrafenis is.'
De begrafenis. Logisch. Ze verbraken de verbinding en Milly bleef stil zitten. Eigenlijk was ze opgelucht dat ze dat hele eind nu niet hoefde te rijden, maar dat mocht ze niet denken, vond ze. Opa was dood. Hij was altijd zo lief tegen haar geweest.
Jan-Jakob vond haar in het donker in de kamer op een stoel. Hij deed het licht aan en keek haar geschrokken aan. 'Wat is er? Gaat

het niet goed?'
'Opa is al dood. We hoeven er niet meer heen. Pas over een paar dagen. Voor de begrafenis.'

Elke begrafenis is een trieste aangelegenheid, maar als er overal sneeuw ligt en het ijskoud is, voelt het nog triester, vond Milly. Het was geen vreugdevol weerzien, want haar moeder en ook tante Geerte waren erg verdrietig. Al zei Babs dat het zo beter was omdat ze er veel moeite mee had gehad dat opa zo verward was, ze wist dat ze hem enorm zou gaan missen en daar zag ze vreselijk tegen op. Nu waren Babs en tante Geerte de oudste generatie. Ook dat was een raar gevoel, zei Milly's moeder.
Ze dronken koffie na die tijd en Milly, Jan-Jakob en Fay reden daarna weer naar huis.
'We hebben nog een boel te doen de komende tijd,' zei Jan-Jakob onderweg. 'De kinderkamer klaarmaken en onze eigen slaapkamer. Ik heb een paar snipperdagen genomen vóór de kerstdagen. Daarna had ik al vrij. Alles met elkaar ben ik de komende twee weken vrij.'
'Dat is geweldig,' zei ze, 'want het is me te zwaar om veel te doen.'
'Dat begrijp ik goed,' zei hij en streelde even over haar buik. 'Jij gaat gewoon ergens zitten en zegt precies hoe je het hebben wilt. Ik zal dan jouw opdrachten keurig uitvoeren.'
Ondanks dat Milly nog zwaarder en nog vermoeider werd, hadden ze twee fijne weken. De kerstdagen, die ze met hun drieën doorbrachten deze keer, waren zo anders dan het jaar ervoor. Jan-Jakob had in diverse bomen in het bos verlichting opgehangen

en hun tuin leek daardoor een sprookje. Binnen hadden ze geen kerstboom neergezet, omdat er buiten al genoeg stonden. Vuurwerk had hij niet gekocht, omdat hij bang was dat de pijlen in de bomen terecht zouden komen en dat dat misschien brand zou veroorzaken, maar desondanks hadden ze een heerlijke oud en nieuw. Milly bakte oliebollen. Dat kon ze niet laten. Die hoorden erbij. En Fay bleef deze keer wakker tot het twaalf uur was.
De kleine meid sliep sinds kort in de vroegere slaapkamer van Milly en Jan-Jakob. Ze vond het er prachtig en had er totaal geen moeite mee dat haar ouders beneden sliepen, al hadden ze wel de babyfoon neergezet. In de kleine slaapkamer stonden de wieg en de commode, klaar voor het kindje dat nu nog geregeld schopte in Milly's buik.
Op 1 januari sliepen ze alle drie uit. De babyfoon gaf geen geluiden en dat was logisch. Het was zo laat geworden voor Fay, dat ze erg moe moest zijn. Jan-Jakob werd als eerste wakker. Hij zag dat er een waterig zonnetje door de ramen naar binnen scheen. Vanuit hun nieuwe bed konden ze zo het bos in kijken.
Hij keek naar zijn vrouw die lag te slapen. Voorzichtig legde hij zijn hand op haar buik en bleef stil liggen. Misschien zou hij het kindje voelen? Dat was zo'n speciale gewaarwording.
Milly opende haar ogen.
Hij lachte naar haar en drukte een kus op haar lippen. 'Dag lieverd, gelukkig nieuwjaar.'
'Jij ook,' zei ze. 'Wat is het trouwens bijzonder om hier wakker te worden.'
'Mee eens,' zei hij. Hij boog zich naar haar buik en drukte ook daar een kus op. 'En hoe is het met onze zoon?' vroeg hij liefdevol.

Milly keek hem verward aan. 'Wat bedoel je?'
'Nou ja, bij wijze van spreken dan. Het mag ook een meisje zijn.'
'Nee, nee, je zei zoon. Waarom?'
'Milly, ik bedoelde er niets mee. Wat is er ineens met je?'
Ze zweeg, maar dacht plotseling terug aan wat Kitty gezegd had over opa en een zoon. Ze was er nooit meer op teruggekomen en zelf was ze het compleet vergeten door alle drukte rond de nieuwe kamer en haar zwangerschap. Had haar moeder echt ergens een broer? Dat kon niet waar zijn! Nee, Kitty vergiste zich. Dat kon niet anders.
'Niets, er schoot me iets te binnen. Sorry,' zei ze.
'Als je maar weet dat het me werkelijk niets uitmaakt, Milly. Eerlijk niet.'
'Dat weet ik wel. Gezondheid is het belangrijkste,' zei ze en kuste hem.
'Ik ga douchen,' zei Jan-Jakob en stapte uit bed.
'Goed idee,' zei ze. 'Als jij boven gaat, ga ik hier beneden. Samen passen we er toch niet onder met die dikke buik.'
Liefdevol liet hij zijn hand over haar buik glijden waarna hij de kamer uit liep.
Milly kwam peinzend overeind, maar besloot er verder niet meer over te piekeren. Wat opa ook bedoeld mocht hebben, nu kwamen ze er nooit meer achter. Bovendien speelde het in een ver verleden, terwijl Milly liever naar de toekomst keek.

Drie weken later belde haar moeder op. Ze klonk paniekerig en radeloos. 'Milly, er is zoiets raars aan de hand. Ik ben helemaal in de war. Ik ben met opa's spullen bezig en ik vond een brie...'

'Mamma, sorry, ik kan niet luisteren,' zei Milly met een van pijn vertrokken gezicht..
'Maar ik moet het je zeggen. Opa had een briefje in zijn portef...'
'Mamma, ik hang op. Ik ...'
'Opa had een zoon!' riep Babs vertwijfeld uit.
'Of een dochter, mam, dat weten we nog niet. Jan-Jakob belt je straks om te vertellen wat het geworden is.' Milly verbrak abrupt de verbinding en kwam overeind, omdat ze Jan-Jakob aan zag komen rijden. Ze had de hele tijd al weeën en de gynaecoloog had gezegd, dat ze mocht komen. Haar tasje met kleren stond klaar en Jan-Jakob zou haar brengen en zich over Fay ontfermen. Ze was blij dat hij er was, want de weeën kwamen steeds vaker en ze had weleens gehoord dat een tweede kindje sneller kwam dan het eerste.
'Hoe gaat het?' Met een rood hoofd kwam Jan-Jakob op haar af lopen.
'Je bent er. Laten we meteen vertrekken. Ik ben bang dat we ...' Ze greep zijn uitgestoken hand en kwam moeizaam overeind.
In het ziekenhuis verwachtten ze haar al. Ze werd direct naar een verloskamer gebracht. Nog geen halfuur later kon de gynaecoloog bevestigen dat het een jongen was, precies zoals Jan-Jakob had voorspeld.
'Zit alles erop en eraan? Is het kindje echt gezond?' vroeg Milly angstig.
'Ja, hij is volkomen gezond en reageert geweldig. Hier is je zoon, gefeliciteerd.'
'Dag Roy,' zei ze vertederd en hield het kleine ventje tegen zich aan. Met vochtige ogen keek ze Jan-Jakob aan. 'Helemaal ge-

zond!' zei ze. 'Onze zoon.' Ze voelde een traan over haar wang glijden. Een traan van geluk. 'Als je mamma belt,' zei ze tegen Jan-Jakob, 'dan moet je maar zeggen dat ze gelijk had. Het is inderdaad een zoon. Maar eerst moet je Fay ophalen, hoor. Zij moet haar broertje als eerste zien.'
Even sloot ze haar ogen. Wat had ze het moeilijk gehad met die miskraam en zie nu eens. Een gezonde zoon. 'Kijk, Fay, dit is Roy. Hij is je broertje en komt bij ons wonen. Hij mag in die wieg slapen die op jouw vorige slaapkamer staat. Vind je dat goed?'
'Lust hij ook paardenbloembladeren?' vroeg ze met een ernstig gezichtje.
Milly en Jan-Jakob schoten onbedaarlijk in de lach.
'Je bent een echte schat,' zei Milly. 'Kom, mamma wil je knuffelen.'

Lees ook *Broer gezocht*, het vervolg op dit boek dat over een halfjaar uitkomt en waarin te lezen staat hoe het verdergaat met Milly, Jan-Jakob en hun families.